MON COMPAGNON
LE CHIEN

MON COMPAGNON LE CHIEN

VOLUME 8

de
CHIEN DU PHARAON
à
COLLIE

EDITIONS ATLAS

Édité par :
ÉDITIONS ATLAS S.A.
89, rue La Boétie
75008 PARIS

Réalisation :
ÉDITIONS ATLAS S.A.

Avec la collaboration de : Marc Capelle, Philippe
Coppé, Marie-Pascale Rauzier, Christel Rollinat,
Gérard Sasias, Dominique Simon

Maquette : Jean-Claude Bernar

Illustrations : Guy Michel, F. Lebert/Dr E. Guillet,
Ray Hutchins

Couverture : Collie.
Photo D. et S. Simon. Maquette J.-Y. Barillec

ISBN : 2-7312-0972-0 (volume 8)

SOCIETE CENTRALE CANINE

POUR L'AMÉLIORATION DES RACES DE CHIENS EN FRANCE

Fédération Nationale agréée par le ministère de l'Agriculture
Reconnue d'utilité publique

155, Avenue Jean-Jaurès - 93535 AUBERVILLIERS CEDEX
Téléphone (1) 49.37.54.00
Télécopie (1) 49.37.01.20

La Société centrale canine, dont j'ai l'honneur d'assumer la présidence, a deux missions statutaires : améliorer les races canines et assurer leur promotion.

Je me réjouis donc vivement de la publication de cette encyclopédie des races de chiens qui contribuera à mieux les faire connaître du grand public. L'expérience, l'ancienneté, la compétence technique des Éditions Atlas sont la garantie de la parfaite réalisation matérielle de cet ouvrage monumental ; leur notoriété donne la certitude de sa bonne diffusion.

Le soin avec lequel a été sélectionnée l'iconographie, la rigueur et la précision des commentaires contribueront à assurer une information complète du lecteur sur toutes les races. La Société centrale canine souhaite donc une pleine réussite à cette belle encyclopédie canine.

Elle a vivement apprécié que, pour sa réalisation, les Éditions Atlas se soient assuré le concours de nombreux conseillers techniques et, notamment, du regretté docteur Émile Guillet, qui fut premier vice-président de la Société centrale canine et président des commissions Vénerie de la Société centrale canine et de la Fédération cynologique internationale jusqu'en octobre 1987.

L'encyclopédie des races de chiens constitue un excellent manuel de vulgarisation en même temps qu'un « outil » documentaire pour les cynophiles avertis. La Société centrale canine formule donc le vœu qu'elle rencontre auprès du grand public tout le succès qu'elle mérite, et elle engage tous les cynophiles à l'acquérir pour leur bibliothèque car elle constituera pour eux un bon ouvrage de référence.

Je vous prie d'agréer, Monsieur le Directeur, l'assurance de mes sentiments distingués.

Le PRÉSIDENT

Camille MICHEL

Quel rapport y a-t-il entre le Danois, impressionnant athlète qui bombe le torse, véritable géant au poil court dépassant le demi-quintal pour une taille au garrot de 80 cm, et le Terrier, fantaisiste ébouriffé, fort de ses 6 kg tout mouillé et de ses 20 cm de hauteur ? A priori, aucun. Pourtant, contre toute apparence, ils ont le même ancêtre — le loup — et appartiennent tous deux à la même espèce. Une espèce qui, sous l'effet de l'évolution naturelle d'abord, puis de la sélection opérée par l'homme ensuite, s'est considérablement diversifiée au fil des siècles, au point de compter aujourd'hui plus de 300 races officiellement recensées.

De l'Affenpinscher au Yorkshire Terrier, toutes les races connues ou moins connues font l'objet de monographies très complètes dans lesquelles figurent :

une fiche signalétique fournissant, sous une forme synoptique très claire, l'essentiel des renseignements concernant le chien considéré tant du point de vue morphologique (taille, poids, couleur de la robe) que physiologique (espérance moyenne de vie, nutrition), psychologique (caractère, sociabilité, aptitudes) ou économique (prix d'achat, coût d'entretien). Le prix moyen d'achat que nous indiquons s'entend pour un chiot de trois mois, tatoué, vacciné et inscrit au LOF. Il est figuré conventionnellement sous la forme de 1, 2 ou 3 astérisques :

1 astérisque (✳) correspond à un prix très abordable. 2 astérisques (✳ ✳) correspondent à un prix moyen. 3 astérisques (✳ ✳ ✳) correspondent à un·prix élevé.

Il ne s'agit là, bien évidemment, que d'éléments présentés à titre indicatif, et le prix d'un animal d'une race donnée peut varier considérablement selon le palmarès de ses parents, la notoriété de l'élevage et même le sexe. De plus, certains chiens sont par nature peu vendus dans le commerce. C'est en particulier le cas des chiens de meute, dont on dit souvent qu'« ils n'ont pas de prix », parce que les veneurs qui produisent d'excellents sujets ont tendance à les conserver pour leur usage personnel ;

un dessin original réalisé par un peintre animalier et représentant l'animal idéal. Ce dessin met mieux en évidence que ne le ferait la photographie les caractéristiques essentielles de la race. Partant, il est particulièrement utile pour apprécier les qualités d'un sujet donné ou pour reconnaître une race rare ;

un historique retraçant l'évolution de la race depuis ses origines jusqu'à nos jours ;

un texte décrivant le comportement et les aptitudes de l'animal et mettant en évidence ses traits de caractère essentiels. Ce texte sera apprécié en particulier du lecteur qui, s'apprêtant à acquérir un chien, ne sait quelle est la race la mieux adaptée à ses besoins ;

divers encadrés jetant des éclairages variés sur tel ou tel aspect de la race (nombre de sujets recensés en France, variétés voisines, anecdotes historiques...) ;

un standard officiel détaillé indiquant de façon exhaustive les caractères de la race ainsi que les principaux défauts susceptibles d'entraîner la non-confirmation ou la disqualification du chien en concours ;

des documents d'époque, lorsqu'ils existent, permettant de mieux mesurer l'évolution de la race au fil des ans en comparant les sujets contemporains à leurs ancêtres plus ou moins lointains ;

des photos en couleurs, enfin, réalisées par les meilleurs spécialistes animaliers du moment. Aussi belles et variées que possible, elles rendent justice au plus fidèle ami de l'homme, quelle que soit la race à·laquelle il appartient ;

un index, placé en fin de collection, viendra compléter l'ensemble. Il permettra au lecteur de retrouver facilement telle ou telle race, quel que soit le nom étranger, local ou régional sous lequel il la connaît.

L'ÉDITEUR

SOMMAIRE

CHIEN DU PHARAON

LE MAÎTRE IDÉAL

Le Chien du Pharaon, en bon chien de type primitif qu'il est, n'est ni un chien de salon ni un animal de tout repos. Pour vivre en parfaite intelligence avec lui, son maître devra être sportif, dynamique et décontracté d'une part, sûr de soi, patient et fin psychologue d'autre part. Il devra également posséder un jardin — vaste de préférence — bien clôturé, afin d'éviter que le chien ne fugue.

Portrait du Chien du Pharaon

GROUPE
cinquième, Chiens de type Spitz et de type primitif, dans la nomenclature FCI de 1990 (dixième, Lévriers et races apparentées, dans celle de 1987)

SECTION
chiens de type primitif

HAUTEUR AU GARROT
56 cm pour le mâle

POIDS
18 kg environ pour le mâle

ROBE
fauve avec quelques petites marques blanches

POIL
court, lisse et luisant

DIFFUSION
exceptionnel en France

DURÉE DE VIE MOYENNE
douze ans

CARACTÈRE
amical, indépendant, calme

RAPPORTS AVEC LES ENFANTS
très bons

RAPPORTS AVEC LES AUTRES CHIENS
bons

RAPPORTS AVEC LES AUTRES ANIMAUX
fondés sur l'éducation

RAPPORTS AVEC LES CHATS
fondés sur l'éducation

APTITUDES
chien de garenne (interdit en France) ; chien de compagnie

ESPACE VITAL
calme à la maison s'il a la possibilité de prendre de l'exercice et de courir

ALIMENTATION
environ 350 g d'aliment sec complet en ration d'entretien

TOILETTAGE
aucun

PRIX D'ACHAT
✷✷

COÛT D'ENTRETIEN
moyen

D. et S. Simon.

ORIGINE ET HISTOIRE

Originaire de l'île de Malte, l'actuel Chien du Pharaon doit pourtant son nom à la ressemblance pour le moins étonnante qu'il possède avec le très célèbre Tesem de l'Égypte antique, qui, dès l'Ancien Empire, apparaît fréquemment sur les bas-reliefs et les fresques, où on le voit chasser l'antilope et la gazelle. Dans la civilisation égyptienne, Anubis lui-même, dieu des morts et conducteur des âmes, est souvent représenté sous les traits du Tesem. (Toutefois, si l'on se réfère à la sculpture trouvée dans la tombe de Toutankhamon, il semble que l'animal lié à Anubis soit plutôt un chacal — d'après sa queue large et tombante.)

Les Égyptiens, qui aimaient à apprivoiser toutes sortes d'animaux, momifièrent et dessinèrent sur leurs tombes des chacals, des loups, des hyènes et des chiens pariahs... La présence du Tesem parmi des espèces dont certaines sont restées sauvages alors que d'autres sont devenues commensales de l'homme fait dire à quelques spécialistes, tel le professeur E. Dechambre, que les Égyptiens ont peut-être apprivoisé le Tesem en l'adoptant tel qu'ils l'ont trouvé à l'état sauvage et que, par conséquent, son physique (notamment ses oreilles droites) ne doit rien à la sélection. Ainsi, le Tesem ne serait qu'un chien pariah dont les lignes élancées mettraient en évidence l'adaptation aux régions de savane et aux étendues semi-désertiques.

CHIEN DU PHARAON

Le Chien du Pharaon actuel adopte la même posture de « sphinx » que celle que l'on retrouve sur les murs de la tombe funéraire de Sennefer (XVIIIe dynastie) à Cheikh Abd el-Gournah, près de Thèbes.

Sans entrer dans ce débat, qui s'inscrit dans celui, plus vaste, concernant l'origine de l'espèce canine et sa domestication, on peut affirmer que le Tesem n'est vraisemblablement pas originaire d'Égypte : l'égyptologue Lortet note ainsi que « la reine Ramaka rapporta du pays de Pount (Érythrée et Somalie) un certain nombre de Tesem ». Par ailleurs, des gravures rupestres, trouvées en divers endroits de l'actuel Sahara, montrent que ce chien était connu dès le Néolithique dans cette région (laquelle, longtemps une vaste savane, ne devint désertique qu'il y a quatre mille ans). La plus ancienne de ces gravures, découverte dans le tassili des Ajjer, paraît remonter au VIIe millénaire avant J.-C., et semble bien représenter un Lévrier à oreilles dressées ; d'autres peintures, datant du VIe au IIIe millénaire, montrent très précisément le même animal que Lortet et Gaillot décrivent ainsi, après avoir étudié les momies des tombeaux de Louxor : un « Lévrier haut sur jambes, corps allongé, pas de ventre, poitrine étroite, colonne vertébrale assez recourbée, tête longue, front large et bombé, oreilles moyennes, droites et pointues, queue longue, enroulée un tour et demi, poil court, gris jaunâtre clair ». Le Tesem serait donc le descendant d'un Lévrier africain, présent au Sahara il y a plus de sept mille ans.

Ce Lévrier africain se diffusa dans tout le bassin méditerranéen : on en trouvait (et, en certains cas, on en trouve encore) en Afrique du Nord, en Espagne,

au Portugal, aux îles Canaries et même en France. Dans notre pays, où on le prit parfois pour un chien d'origine locale, il était appelé Charnigue (nom attaché au cousin du Chien du Pharaon qu'est le Lévrier des Baléares, ou Podenco Ibicenco) ; il fit longtemps le bonheur des chasseurs du Roussillon et de Provence car, n'étant pas considéré comme un vrai Lévrier, il n'était pas concerné par l'interdiction faite à ces chiens de chasser, selon la loi du 3 mai 1844. Permettant de chasser silencieusement — et même la nuit —, il était particulièrement prisé des braconniers...

Mais ce sont les îles méditerranéennes qui ont constitué un véritable « conservatoire » pour le Lévrier africain, le préservant de tout abâtardissement. Les Phéniciens (et, peut-être, avant eux, les Crétois) puis les Carthaginois l'amenèrent aux Baléares, à Malte, en Sicile. Ces îles ont été le refuge des trois descendants directs du Lévrier africain : le Podenco Ibicenco (Lévrier des Baléares), le Cirneco de l'Etna et le Chien du Pharaon (qui, aujourd'hui, sont considérés comme trois races distinctes). La position insulaire a permis la conservation de ces races, détrônées dans les régions continentales, à l'époque romaine puis dans le monde musulman, par la venue de Lévriers asiatiques à oreilles tombantes, plus rapides.

Le Chien du Pharaon actuel est le résultat d'un travail de sélection effectué par les Britanniques à partir du Lévrier de Malte (appelé, dans la langue de l'île, Tal-Fenek — *Fenek* signifiant lapin), alors que la première sélection qu'ils avaient entreprise en 1929 à partir du Lévrier des Baléares avait été un échec. Utilisant sans doute des apports de Cirneco de l'Etna, les sélectionneurs britanniques sont arrivés au Chien du Pharaon en 1976, date où le standard a été reconnu par le Kennel Club. En Europe continentale, la race a été reconnue en 1977, tandis que le standard anglais remplaçait celui qui avait été déposé en 1963 par l'Union internationale de courses de Lévriers, qui décrivait sous le nom de Pharaonhund un chien similaire, mais issu

LE CHIEN DU PHARAON EN CHIFFRES

Race « récente » — d'un point de vue officiel —, le Chien du Pharaon est rarissime en France : entre 1981 et 1987, le Livre des origines français n'a enregistré que 7 inscriptions (en 1983 et en 1985). On trouve, pour les pays francophones, quelques sujets en Suisse et en Belgique. Il en existe par ailleurs aux Pays-Bas, en Allemagne et au Danemark (certains sujets de l'élevage de la famille royale danoise ont reçu les plus hautes récompenses lors de l'exposition mondiale de Copenhague). En Grande-Bretagne, son pays de patronage, cette race est mieux établie, bien que rare encore : on peut estimer que les effectifs sont de l'ordre de 300 sujets (le Kennel Club a enregistré 49 inscriptions en 1980, 23 en 1983). Le Kennel Club américain, qui reconnaît officiellement la race depuis 1984, a dénombré cette année-là 140 inscriptions, puis 94 en 1985 et 81 en 1986, ce qui attribue actuellement aux États-Unis la plus forte population, toutes proportions gardées, de Chiens du Pharaon.

STANDARD DU CHIEN DU PHARAON

CARACTÉRISTIQUES ET ASPECT GÉNÉRAL

Chien intelligent, amical, affectueux, enjoué et preste. Chasseur ardent et vif, le Chien du Pharaon chasse au nez et à vue, en se servant manifestement de ses grandes oreilles lorsqu'il serre de près l'animal en chasse. Il est de taille moyenne et de noble prestance, ses lignes sont pures. Il est gracieux et néanmoins puissant. Il est très rapide dans ses allures faciles et dégagées, et vif dans son expression.

TÊTE ET CRÂNE

Le crâne est long, sec et bien ciselé. Le chanfrein est légèrement plus long que le crâne. Le stop n'est que léger. La ligne supérieure du crâne est parallèle au chanfrein. L'ensemble de la tête, vue de profil ou de dessus, représente un coin tronqué. *Yeux :* de couleur ambrée, en harmonie avec la robe ; de forme ovale, modérément enfoncés dans l'orbite ; ils ont une expression vive et intelligente. *Oreilles :* attachées modérément haut ; portées droites lorsque le chien est attentif mais très mobiles ; larges à la base, fines et grandes. *Mâchoires :* puissantes ; dents fortes ; articulées en ciseaux. *Truffe :* de couleur chair, uniquement, se fondant dans la robe.

COU

Long, sec, musclé, légèrement roué ; gorge sans fanon.

AVANT-MAIN

Épaules fortes, longues et bien obliques. Membres antérieurs droits et parallèles. Coudes bien rentrés. Canons métacarpiens solides.

CORPS

Souple. Ligne du dessus presque droite. Légère pente de la croupe à la racine de la queue. Poitrine bien descendue jusqu'au niveau de la pointe du coude. Côtes bien cintrées. Dessous modérément remonté. Longueur du corps, du poitrail au coxal, légèrement plus grande que la hauteur au garrot.

ARRIÈRE-MAIN

Forte et musclée. Angle du grasset modéré. Jambe bien développée. Vus de derrière, les membres postérieurs sont parallèles.

PIEDS

Forts, fermes avec de bonnes jointures. Les pieds ne sont ni rentrés, ni tournés en dehors ; ils sont bien pourvus de coussinets. On peut faire l'ablation des ergots.

ALLURE

Franche et harmonieuse ; la tête doit être portée assez haute et le chien doit bien couvrir le terrain sans effort apparent. Les membres et les pieds doivent se déplacer dans l'axe du corps. Toute tendance à jeter les pieds de côté ainsi que les allures relevées constituent un défaut caractérisé.

QUEUE

Attachée à moyenne hauteur ; assez épaisse à la base, elle va en s'amenuisant (en fouet). Au repos, elle descend juste au-dessous de la pointe du jarret. Quand le chien est en action, elle est portée haute et recourbée. La queue ne doit pas être rentrée entre les membres postérieurs. La queue en tire-bouchon est un défaut.

ROBE

Poil court, lisse et luisant ; allant du poil fin et serré au poil légèrement dur ; aucune frange.

COULEUR

Fauve plus ou moins soutenu avec des marques blanches ainsi qu'il suit : le bout de la queue blanc est très recherché ; blanc au poitrail (appelé « l'étoile ») ; blanc aux doigts. On admet une mince liste blanche sur la ligne médiane de la face. Les petites taches et le blanc situé ailleurs qu'aux endroits mentionnés ci-dessus ne sont pas souhaitables.

HAUTEUR AU GARROT

Mâles : hauteur idéale de 56 cm (de 22 à 25 pouces, soit de 56 à 63,5 cm). Femelles : hauteur idéale de 53 cm (de 21 à 24 pouces, soit de 53 à 61 cm). L'harmonie de l'ensemble doit être préservée.

DÉFAUTS

Tout écart par rapport à ce qui précède est un défaut, excepté les imperfections résultant de la chasse.

(D'après le standard n° 248 b, dans sa traduction par R. Triquet, du 10 février 1983, homologuée par la FCI.)

D. et S. Simon

de lignées allemandes et suisses de Lévriers des Baléares. Ces diverses péripéties traduisent la volonté des cynophiles de sélectionner, à partir de chiens utilisés pour la chasse du lapin dans les îles méditerranéennes, une race qui soit l'exacte reproduction du Lévrier des pharaons égyptiens.

COMPORTEMENT

Le Chien du Pharaon est un grand chasseur de lapins. Contrairement à la plupart des Lévriers (à oreilles tombantes), qui chassent uniquement à vue, il utilise tous ses sens : une vue perçante, une ouïe très fine, un flair développé.

C'est un prodigieux sauteur, véritablement « monté sur ressorts », qui vole au-dessus des buissons pour suivre le gibier ; d'une agilité extraordinaire, virant très court, bondissant à travers les rochers, il est doté d'une grande résistance. Certes, en terrain plat, sa vélocité est un peu moins grande que celle d'un Greyhound ou d'un Galgo, mais, dans les terrains accidentés, il reste incomparable pour rattraper ce spécialiste des crochets qu'est le lapin.

Traditionnellement, la chasse se déroule très tôt le matin et au crépuscule (voire la nuit). Le chien est utilisé seul ou en groupe et, dans ce dernier cas, les chiens ne chassent pas vraiment de concert, en meutes organisées, mais les plus expérimentés mettent à profit l'enthousiasme des jeunes pour déjouer les ruses du gibier. Un bon chien rapporte le lapin vivant.

La chasse avec le Chien du Pharaon se pratique ordinairement sans arme, mais ce chien peut pister et rapporter, en bon auxiliaire de la chasse au fusil. Lorsque le lapin a pu rejoindre son terrier (devant lequel se poste le chien), on utilise parfois un furet et des filets.

Dans un pays comme la France où il n'a pas l'autorisation légale de démontrer ses talents de chasseur, le caractère original du Chien du Pharaon en fait un compagnon hors du commun, dont il ne faut pas attendre un comportement casanier : comme les Lévriers

en général, il est porté à l'indépendance et il joue parfois de l'art de la fugue avec brio.

Assez peu démonstratif, en comparaison d'autres types canins, ce chien n'est en aucune façon hautain ou distant, bien que réservé, voire méfiant à l'égard des étrangers ; il avertit d'ailleurs ses maîtres, le cas échéant, d'une présence étrangère (dans un pavillon isolé, par exemple), même s'il ne se montre pas agressif — ce qui empêche d'envisager de l'employer comme chien de garde. De tempérament très joueur, il aime par-dessus tout courir et sauter, mais, gentil et affectueux, il sait rester silencieux et calme à la maison (où il dort comme un chat).

Le Chien du Pharaon n'occasionne aucune contrainte d'entretien et montre, en dépit de la gracilité de ses lignes, une excellente robustesse. Certes, avec son poil ras, il ne doit pas coucher dehors, mais il supporte parfaitement les intempéries lors de ses promenades quotidiennes.

C'est un chien généralement sociable envers ses congénères, bien que certains mâles soient peu tolérants, tenus en laisse. Avec des enfants, il se montre très enjoué et même patient, se dégageant d'un coup de rein si le jeu ne lui plaît plus ; il en est un qu'il ne refusera jamais, d'ailleurs, c'est la course poursuite — et là, il est toujours gagnant !

Acquérir un de ces rarissimes specimens, c'est être assuré de susciter l'étonnement : ce Lévrier, grâce à ses oreilles dressées et à son regard d'ambre, assorti à sa robe fauve, allie exotisme et mystère. Et, si l'on s'intéresse un tant soit peu à l'histoire, il est assez exaltant, de posséder, avec ce chien, l'exacte reproduction des antiques compagnons des pharaons (à l'exception du fouet, qui n'est plus enroulé).

LES COUSINS

Le Chien du Pharaon et ses « cousins » constituent un type de « Lévrier primitif » dont les caractéristiques sont nettement distinctes de celles des Lévriers proprement dits (les oreilles dressées et leur façon de chasser ne sont pas, en effet, leurs seules originalités, et le professeur Seiferle a montré que de nombreux points d'anatomie les distinguaient des Lévriers). Dans la classification des races précédant celle de 1987, ils figuraient dans le 6e groupe — celui des chiens courants.
On a prétendu parfois que les « Lévriers à oreilles droites » et les chiens qui leur étaient apparentés se trouvaient dans une situation très précaire, voire menacés de disparition. Il est vrai que certaines races sont sans doute en mauvaise posture, mais, dans l'ensemble, la cynophilie a pu prendre le relais de l'utilisation traditionnelle et offrir une chance de survie aux races menacées. D'autant que, pour le Lévrier des Baléares (ou Podenco Ibicenco, ou Eivissenc), l'utilisation traditionnelle se maintient fort bien, malgré la concurrence des fusils de chasse (escopetas) ; la race est d'ailleurs un sujet d'orgueil pour les Majorquins, qui la considèrent comme faisant partie de leur histoire la plus ancienne.
Le Podenco Ibicenco est de bonne taille (de 66 à 72 cm au garrot pour le mâle) ; sa robe est fréquemment blanc et rouge (le fauve est peu prisé), parfois presque entièrement blanche ou rouge. En dehors des variétés à poil lisse et à poil dur, le standard en mentionne une à poil long, aujourd'hui disparue.

Le fouet du Podenco, espié (garni de poils plus longs), se relève en faucille sans être enroulé sur le dos. Des variétés de Podencos sont également répandues dans la péninsule Ibérique, de l'Estrémadure à l'Andalousie et surtout en Catalogne ; l'essor de la cynophilie espagnole permet un certain optimisme quant à l'avenir de la race.
Le destin du grand Podengo Portugais paraît en revanche bien compromis : il y a déjà une quinzaine d'années, cette variété était considérée comme éteinte. (Précisons qu'il existe, par ailleurs, un Podengo moyen et même un petit, qui n'ont rien à voir avec le type représenté par le Chien du Pharon.)
Le Cirneco de l'Etna est en revanche un authentique cousin du Chien du Pharaon, mais de taille modeste : de 46 à 50 cm au garrot pour le mâle. Il se montre sous une robe fauve unicolore, mais les sujets fauve et blanc existent aussi. Chien de garenne à l'instar des précédents, il a été également utilisé comme chien d'arrêt, y compris sur la plume, dans sa région d'origine.
Signalons enfin que la Fédération cynologique internationale a récemment reconnu un Podenco des Canaries, et qu'il doit encore exister des variétés de Podencos dans diverses îles méditerranéennes, par exemple à Lampedusa (située au large de la côte tunisienne).
Longtemps négligés par les cynophiles, qui les considéraient comme des chiens locaux de peu d'intérêt, tous ces chiens voient aujourd'hui reconnue leur appartenance au plus ancien type lévrier de l'espèce canine, ce qui justifie pleinement la considération dont les entourent les amateurs éclairés.

CHIENS DE ROUGE

LE MAÎTRE IDÉAL

Les Chiens de Rouge du Hanovre et de Bavière étant exclusivement et essentiellement
des animaux destinés au travail, à la recherche du grand gibier blessé,
seul un conducteur spécialisé dans cette discipline obtiendra l'autorisation d'en posséder un.

**Chien de Rouge
du Hanovre**

**Chien de Rouge
de Bavière**

Guy Michel

D. et S. Simon.

Portrait des Chiens de Rouge du Hanovre et de Bavière

GROUPE
sixième

SECTION
chiens de recherche au sang

HAUTEUR AU GARROT
de 50 à 55 cm (Hanovre), 50 cm maximum (Bavière), pour les mâles

POIDS
30 kg environ (Hanovre), de 20 à 25 kg (Bavière)

ROBE
rouge cerf, bringé (Hanovre),
roux, fauve, gris-roux, bringé, charbonné (Bavière)

POIL
court, serré, dur à rude (Hanovre),
épais, plat, rêche au toucher (Bavière)

DIFFUSION
en France : 5 ou 6 (Hanovre), 50 (Bavière)

DURÉE DE VIE MOYENNE
environ douze ans

CARACTÈRE
pondéré, persévérant

APTITUDES
exclusivement recherche du grand gibier blessé

ESPACE VITAL
doit être établi à proximité des territoires de grand gibier

ALIMENTATION
de 450 à 500 g d'aliment sec complet en ration d'entretien

PRIX D'ACHAT
**

COÛT D'ENTRETIEN
moyen

ORIGINE ET HISTOIRE

Les deux races de chiens courants que sont le Chien de Rouge du Hanovre et le Chien de Rouge de Bavière sont vouées à une discipline aussi ancienne qu'indispensable, malheureusement méconnue aujourd'hui en France : la recherche du grand gibier blessé (en suivant la piste du sang perdu, du « rouge »).

Les lettres de noblesse de cette activité spécifique remontent au Moyen Âge, comme en témoignent deux grands auteurs, qui ont jeté les bases de la vénerie. Ainsi, Henri de Ferrières écrit en 1379, dans son *Livre de la chasse du roi Modus et de la reine Ratio* (*modus* et *ratio* signifient, en latin, « méthode » et « sagesse ») : « Si la bête est blessée, tu hueras un long mot pour faire venir le brachet qui suit le sang [...]. Dans la chasse à l'arc, il faut toujours avoir un chien bien entraîné appelé brachet, qui suit la trace du sang. » Quelques années plus tard, en 1387, le fameux Gaston Phébus, à son tour, conclut ainsi un des chapitres de son *Livre de la chasse :* « C'est un beau déduit et une très belle

STANDARD DU CHIEN DE ROUGE DU HANOVRE

TÊTE

Crâne large, augmentant de largeur vers l'arrière; légèrement bombé. Front légèrement ridé. Protubérance occipitale peu accentuée. Arcades sourcilières (de profil) nettement saillantes (stop nettement indiqué). Museau robuste, profond et large, bien développé pour le travail; il mesure environ 50 % de la longueur de la tête. Chanfrein légèrement busqué ou presque droit, davantage busqué chez les mâles; diminuant progressivement de largeur en direction du front (rentré sous les yeux). Babines largement débordantes et bien arrondies. Mâchoires puissantes. Denture : 42 dents, en ciseaux ou en tenailles. Truffe grande, large, aux narines bien ouvertes; le plus souvent noire, rarement brun foncé. *Œil* : regardant franchement en avant; avec une bonne occlusion palpébrale; brun foncé. *Oreilles* : de longueur moyenne, attachées haut et large, tombant bien à plat, sans enroulement, en contact étroit avec la tête, à pointe arrondie.

D. et S. Simon

ENCOLURE

Longue et forte, s'élargissant progressivement jusqu'à son raccord avec la poitrine. Peau du cou abondante et lâche; on admet un fanon peu prononcé.

MEMBRES ANTÉRIEURS

Omoplates et bras placés à plat sur le thorax, fermement musclés, mobiles. Bras longs. Coudes bien dirigés vers l'arrière, bien accolés au thorax. Avant-bras droits, bien musclés. Métacarpes larges, presque droits, jamais tout à fait verticaux.

MEMBRES POSTÉRIEURS

Bassin large et spacieux. Cuisses fortement musclées. Jambes droites et sèches. Jarrets larges et puissants. Métatarses presque verticaux.

TRONC

Poitrine profonde et spacieuse, plus profonde que large. Ventre légèrement relevé en ligne progressivement ascendante. Dos puissant et élastique. Rein légèrement bombé, large et flexible. Croupe large et longue. En pente légère descendant vers la queue.

QUEUE

Attachée haut, longue, légèrement recourbée, forte à sa racine, allant en s'amincissant jusqu'à la pointe.

PIEDS

Soles grandes et fermes. Doigts bien arqués. Ongles robustes. Pieds ronds, fermement serrés à l'arrière.

POIL

Poil du tronc court, serré, dur à rude; plus long et plus grossier exclusivement à la face postérieure des cuisses. Poil de la queue serré et dur, un peu plus long et plus grossier à la face inférieure.

COULEUR

Rouge cerf clair à foncé; plus ou moins fortement bringé; avec ou sans masque. On tolère une petite tache blanche au poitrail.

HAUTEUR AU GARROT

Mâles : de 50 à 55 cm; femelles : de 48 à 53 cm. Un dépassement de 2 cm en plus ou en moins est admis.

ALLURES

Pleines d'impulsion, élastiques, allongées.

CARACTÈRES GÉNÉRAUX

Bonnes proportions entre tête et tronc ainsi qu'entre tronc et pattes. Le travail demande une ossature robuste et une bonne musculature. Aspect mâle ou femelle bien différencié.

---

chasse, quand on a un bon limier et un bon chien pour le sang. » (C'est-à-dire qu'il faut soigner, dans le déroulement de la chasse, la phase préparatoire — le rembûchage du gibier grâce au limier — et la conclusion — la recherche du gibier blessé avec un chien spécialisé, qui suit la trace grâce au sang perdu.)

Ferrières et Phébus s'intéressent à toutes les formes de chasse, depuis la prise des loutres et la chasse au filet jusqu'à la chasse sous terre; mais, s'ils les trouvent toutes passionnantes, à leur façon, le courre du cerf est considéré comme la chasse noble par excellence, tout au moins en France, où la chasse à tir restera, de ce fait, longtemps au second plan. Or, si ces deux chasses nécessitent l'usage du limier, seule la seconde a besoin d'un chien de sang (le recours à ses services étant d'autant plus nécessaire et fréquent que l'imprécision des armes utilisées — arc, arbalète, arquebuse —

permet rarement de tuer net le grand gibier). On comprend ainsi que l'aristocratie française, privilégiant la chasse à courre, n'ait pendant longtemps attaché qu'une importance secondaire au chien de sang.

La situation était toute différente dans les pays germaniques. Il semble même, à en croire Dunoyer de Noirmont (dans son *Histoire de la chasse en France,* parue en 1867), que, à la fin du XVᵉ siècle, la vénerie y était inconnue : « Lorsque le grand Nemrod d'Allemagne, l'archiduc Maximilien, commença à prendre son plaisir à chasser ours, cerfs et sangliers, ses compatriotes avaient depuis longtemps mis en oubli l'art de la vénerie, qu'ils avaient dû connaître et pratiquer sous les rois mérovingiens et carolingiens. Il est dit dans l'histoire du Roi Blanc, pseudonyme de l'époux de Marie de Bourgogne, qu'il introduisit dans ses États allemands la chasse par force qui y était complètement

STANDARD DU CHIEN DE ROUGE DE BAVIÈRE

APPARENCE GÉNÉRALE

Chien de taille moyenne, plutôt léger, très remuant et musclé. La taille des chiens ne dépasse jamais 50 cm au garrot, celle des chiennes 45 cm. Le corps est légèrement allongé, avec un arrière-train un peu galbé, et soutenu par des pattes pas trop longues.

TÊTE

Le crâne est relativement large, à peine bombé, pas trop lourd, avec un léger stop. Museau ni trop long, ni trop pointu. Truffe noire ou rouge foncé. Arcades sourcilières bien développées. Babines bien descendues mais pas au point de paraître pendantes. Commissures des lèvres bien marquées. *Oreilles :* assez longues, lourdes, attachées haut et large, pendant à plat le long de la tête ; extrémité arrondie. *Yeux :* limpides, ni trop grands, ni trop ronds ; paupières bien tendues ; iris brun foncé ou de teinte plus claire.

COU

De longueur moyenne, fort et sec.

DOS

Pas trop court mais très solide. La partie lombaire est large, toujours légèrement galbée et bien musclée jusqu'aux flancs. La croupe est droite jusqu'à la naissance du fouet.

POITRINE ET VENTRE

Poitrine pas trop large, cage thoracique profonde et longue, avec des fausses côtes longues et bien descendues (jusqu'aux flancs). Ventre légèrement levretté.

FOUET

De longueur moyenne, atteignant à peu près la pointe du jarret, pas attaché bas, s'amincissant vers l'extrémité, porté à l'horizontale ou pendant, plus fourni en poil le long de son profil inférieur.

AVANT-MAIN

Épaule placée bien obliquement, bras long, ossature forte mais non pas lourde. Vus de devant, les membres sont parfaitement d'aplomb. Toute l'avant-main est fortement musclée. Le carpe n'est pas fléchi, mais pas absolument vertical non plus.

ARRIÈRE-MAIN

Les cuisses sont longues et bien gigotées, la jambe est relativement longue et oblique, le jarret bien d'aplomb. L'arrière-main est si bien fournie en poil que l'arrière des cuisses présente un aspect presque rêche. Vus de derrière, les membres sont parallèles et bien d'aplomb, les jarrets tournés ni en dedans, ni en dehors. La croupe est longue et droite.

PIEDS

Pas particulièrement forts, mais avec des doigts bien serrés et arqués. Les ongles sont bien développés, noirs ou de couleur ivoire. Le pied ne doit pas être rond (patte de chat), mais pas trop long non plus (patte de lièvre), plutôt en forme de cuillère.

POIL

Épais, plat, modérément rêche au toucher, peu brillant, plus fin à la tête et aux oreilles, plus dur et long sur le ventre et les cuisses.

COULEURS

Toutes teintes de roux et de fauve, jaune, ocre, gris-roux comme le pelage d'hiver des chevreuils, bringé ou d'une teinte de fond mêlée de poils noirs. Chez les chiens roux, le dos est plus intensément coloré que le reste du corps. Le museau, les oreilles, le dos et le fouet présentent souvent des poils noirs mêlés à la teinte de fond.

DÉFAUTS

Structure ramassée (en « cob »), garrot prononcé, chien trop enlevé ou trop bas sur pattes, avant-bras tordus, doigts écartés et pieds allongés ou plats, carpes et pieds déviés vers l'extérieur ; dos ensellé ; reins faibles ; croupe courte ou très avalée ; membres arrière trop droits (chien sous lui), jarrets de vache ou position cagneuse (en douves de tonneau). Côtes trop sorties. Tête pointue avec museau faible. Oreilles attachées trop bas, pointues et papillotées. Nez rose. Œil très ouvert laissant voir beaucoup de rouge (tissu conjonctif) ; œil jaune d'oiseau de proie. Cou trop court et épais. Fouet exagérément espié, porté haut ou enroulé.

Absolument à rejeter : les sujets dont l'ossature présente des traces de rachitisme ou est trop légère, qui manquent de muscles, et qui ont une robe trop fine constituant une couverture insuffisante. Également, le prognathisme supérieur ou inférieur, les ergots (le cas échéant, ils devront être enlevés aux chiots dans les premiers jours après la naissance). Couleurs : toutes les teintes autres que celles ci-dessus et particulièrement la couleur noir et feu (comme chez le Teckel). Les marques blanches sont indésirables, mais une tache de teinte plus claire sur le poitrail ne doit pas entraîner la disqualification du chien.

D. et S. Simon

D. et S. Simon

*La morphologie et le travail
à la longe de ce limier montrent qu'il
est vraisemblablement l'ancêtre
direct du Chien de Rouge du Hanovre
(miniature, dans le* Livre de la chasse
de Gaston Phébus, paru en 1387).

inconnue. » De ce fait, la vénerie restera une forme de chasse marginale : en faveur dans les cours allemandes à la fin du XVIIe et au début du XVIIIe siècle (la mode était à l'imitation des mœurs françaises), elle ne supplantera cependant jamais la tradition proprement germanique du tir du grand gibier, telle que l'a magistralement représentée Dürer (1471-1538) sur une de ses plus célèbres gravures.

Gilbert Titeux n'hésite pas à en conclure que le chien de rouge symboliserait, en somme, l'opposition entre deux conceptions de la chasse en Europe : d'une part, la chasse envisagée comme un « sport », et qui aurait ses sources chez les Gaulois (on sait qu'Arrien fut très impressionné, en 161, lorsqu'il vit les Gaulois laisser leurs chances aux lièvres face aux Lévriers), la chasse aux chiens « forcenans » reprenant, en somme, cette éthique sportive lorsqu'elle a pratiquement remplacé la poursuite à vue avec des Lévriers ; et, d'autre part, une conception plus utilitaire de la chasse, chez les peuples germaniques, où la préoccupation alimentaire dominerait. Dans cette seconde optique, même si le plaisir de la chasse n'était pas négligé, le bilan primait et l'utilisation des armes de tir était pleinement justifiée, comme moyen le plus sûr et le plus rapide d'abattre le gibier, d'autant que la portée et la précision de ces armes se sont améliorées sans cesse, et rapidement, au fur et à mesure qu'évoluaient les armes à feu. D'où le rôle essentiel du chien de rouge dans les pays germaniques. Et il est vrai que les traités de chasse de Feyerabendt (1582), de Flemming (1719), de Doebel (1746), de Von Heppe (1751) comportent tous d'importants chapitres sur la recherche au sang et les chiens de rouge.

Dans ces divers ouvrages, ces chiens sont présentés comme des bêtes assez massives, de bonne ossature, de taille assez moyenne, au museau large, aux oreilles tombantes, le nez collé au sol. Ces caractéristiques correspondent à un type fixé depuis longtemps, puisque les gravures illustrant les traités de Taëntzer (1682) et de Flemming montrent des chiens très semblables à ceux des miniatures des ouvrages de Phébus et de Ferrières. Il faut d'ailleurs rapprocher le terme de « brachet », qu'emploient ces auteurs, du mot *bracken*, qui désigne les chiens courants allemands (mais qui ne doit pas être confondu avec le mot « braque », d'origine latine, qui caractérise le chien montrant le gibier au chasseur).

Même si elle n'a eu qu'un succès limité outre-Rhin, la vénerie française a eu une influence sur la chasse « à l'allemande », en faisant découvrir à nos voisins le travail capital du limier (et celui du valet de limier), qui était parvenu au XVIIe siècle à un haut niveau. Les chasseurs germaniques s'en sont donc inspirés pour perfectionner le travail de leurs chiens de rouge — et, tout d'abord, le mettre à la longe (auparavant, il travaillait en liberté). On constate aussi un rapprochement entre les mots de limier et de chien de rouge : Taëntzer, par exemple, les emploie comme synonymes.

L'origine du Chien de Rouge du Hanovre, le plus ancien des chiens spécialisés allemands, a des bases aussi lointaines que bien établies. Sa parenté morphologique avec le Chien de Saint-Hubert et le chien courant du Jura type Saint-Hubert témoigne d'ailleurs de racines remontant au Moyen Âge. Son histoire est liée à celle du royaume de Hanovre, et plus particulièrement au Jägerhof de la cour de Hanovre. Le Jägerhof était, en Allemagne, une institution chargée de former des chasseurs d'élite, d'élever et d'entretenir chevaux et meutes de chiens. Celui de la maison de Hanovre fut, et de loin, le plus réputé et celui qui fonctionna le plus longtemps. Les chasseurs professionnels formés à cette école eurent bientôt comme souci essentiel d'élever et de conduire un type de chien bien précis — limier et chien de rouge. Ils atteignirent un très haut degré de technicité dans cette spécialité (le plus élevé sans doute en Europe), perfectionnant les méthodes des meilleurs valets de limiers pour aboutir à un type spécifique d'entraînement des chiens de rouge. Ils en vinrent ainsi à modeler une race particulière, par sélection des anciens limiers-chiens de rouge allemands. Bien que la maison de Hanovre ait eu des liens avec la couronne d'Angleterre, il n'est nulle part fait mention d'un apport de Bloodhound (dérivé du Chien de Saint-Hubert). En revanche, il est sûr qu'il y eut infusion d'une race de chien courant du nord de l'Allemagne, aujourd'hui disparue, le Heidebracke (littéralement « chien courant de landes »). G. Titeux donne la raison de cette retrempe : « Ces chiens étaient bien sûr d'un très grand nez et d'un calme imperturbable dans le travail à la longe ; mais au fils des ans, ils commencèrent à ne plus être suffisamment performants dans la poursuite. »

POUR TOUT SAVOIR

Un ouvrage fondamental a été consacré aux chiens de rouge : *la Recherche du grand gibier blessé,* Éd. Marc Titeux.
Œuvre collective des initiateurs et dirigeants de la recherche en France, ce livre très complet, très illustré, permet de pénétrer de plain-pied dans l'univers passionnant propre aux chiens de rouge.

Bien que le Jägerhof de Hanovre ait été dissous en 1866 (à la suite de l'annexion du Hanovre par la Prusse), ses traditions, ses méthodes, son éthique continuèrent à imprégner et à inspirer les chasseurs allemands. En 1894, les émules des chasseurs professionnels du Jägerhof créèrent le Verein Hirschmann, le Club allemand du Chien de Rouge du Hanovre, dont les buts sont aujourd'hui les mêmes qu'à sa fondation : sélection rigoureuse de l'élevage par contrôle des géniteurs et des portées, formation de conducteurs de chiens de rouge. Dès 1895, le club organisa la première épreuve de recherche au sang — épreuve « au naturel », sur grand gibier réellement blessé.

Le Chien de Rouge du Hanovre fut, au début du XXᵉ siècle, utilisé dans les Alpes bavaroises et tyroliennes. Mais, comme on le trouvait un peu lourd pour évoluer dans ces territoires montagneux, on procéda à des apports de chiens courants locaux (appelés aujourd'hui Tiroler Bracken, Brandlbracken, Dachsbracken). De ces alliances naquit le Chien de Rouge de Bavière, et en 1919 se créa le Club allemand du Chien de Rouge de Bavière.

Les Chiens de Rouge ont ensuite passé les frontières, puisqu'en 1930 les clubs allemands s'associaient à leurs homologues hongrois et autrichiens (la Suisse les rejoindra plus tard) pour fonder l'Union internationale des clubs de Chiens de Rouge.

La France est restée longtemps en marge du monde de la recherche du grand gibier blessé : il y a, nous l'avons vu, des raisons historiques à cela. C'est seulement dans les années soixante que cette activité commença à se développer chez nous, grâce à la délégation de l'Est du Club des amateurs de Teckels. En Alsace et en Moselle, en effet, les traditions de chasse s'inscrivent dans un vieil héritage culturel germanique (une réglementation particulière du droit de la chasse, datant de 1881, est toujours en vigueur); le chien de rouge y avait donc tout naturellement sa place. De plus, dès le début du XXᵉ siècle, de nombreuses races de chiens de chasse allemands, créées à d'autres fins (chiens d'arrêt comme le Braque Allemand ou le Drahthaar, broussailleur comme le Wachtelhund, déterreur comme le Teckel), ont été mises à la recherche au sang avec succès — cette discipline étant devenue, depuis, partie intégrante de leur sélection.

C'est donc par le biais du Teckel (et en particulier du Teckel à poil dur, le plus apprécié des chasseurs) que la recherche au sang est venue en France. Très progressivement, d'ailleurs, puisque c'est seulement en 1984, avec l'importation des premiers Chiens de Rouge allemands, que fut créé le Club français du Chien de Rouge du Hanovre et de Bavière, officiellement rattaché au Jagdterrier Club (le nombre de naissances de ces chiens n'atteignant pas le niveau de 50 par an, la Société centrale canine ne peut en effet affilier le Club français du Chien du Rouge, dont le sérieux et l'activité ne sont cependant pas mis en doute).

Bien que leur utilisation soit d'un intérêt incontestable, les Chiens de Rouge ne sont pas des races destinées à se répandre beaucoup. La population actuelle des Chiens du Hanovre et de Bavière, en France, n'excède pas une soixantaine de sujets. Même en Allemagne, on ne dénombre qu'environ 120 Chiens du Hanovre en activité (et guère plus de 20 à 30 naissances annuelles).

COMPORTEMENT

Le but premier du Club français est de veiller à ce que les races soient fidèles à leur vocation, c'est-à-dire que les Chiens du Hanovre et de Bavière restent réellement des chiens de rouge, aux mains de conducteurs spécialisés, ce qui implique qu'un accroissement systématique des effectifs n'est pas recherché (faute d'un nombre suffisant de maîtres qualifiés). C'est ainsi que, tout d'abord, la reproduction n'est permise

Pour entraîner son chien de sang (ici, un Rouge de Bavière) à la recherche d'un gibier sur voie saine et froide (méthode du Jägerhof), le chasseur repère exactement le passage pris par un animal isolé. Trois heures après, il mettra son chien sur la voie, en lui indiquant la première empreinte.

D. et S. Simon

Le Chien de Rouge du Hanovre (ici une femelle) a un museau robuste, à toute épreuve pour retrouver dans les fourrés un animal blessé.

qu'aux sujets qui, ayant été préalablement confirmés, réussissent par ailleurs le test d'aptitudes naturelles (TAN) prévu pour les chiens de rouge. Cette procédure, exceptionnelle en France (elle ne s'applique qu'à une seule autre race de travail, le Border-Collie), est en revanche en harmonie avec la sélection pratiquée en Allemagne.

Ensuite, les chiots ne sont cédés qu'à des conducteurs de chiens de rouge, d'après une liste d'attente minutieusement tenue à jour. Ainsi, pour la dernière portée de Chiens de Bavière nés en France, on avait réuni huit acquéreurs potentiels avant de faire saillir une chienne; celle-ci ayant eu neuf chiots, l'un deux fut supprimé à la naissance, car il n'aurait pas été dans les mains d'un conducteur convenablement formé.

La méthode peut sembler draconienne et excessivement dirigiste, mais elle a fait ses preuves. Il faut garder à l'esprit que le Chien de Rouge ne doit pas son existence à un nouveau « sport » à la mode... Il est voué, depuis toujours, à mettre fin aux souffrances d'un animal blessé, en participant d'ailleurs ainsi, de façon décisive, au rôle de gestion du gibier qui est celui des vrais chasseurs, conscients de leurs responsabilités. Il ne peut donc y avoir place, chez les possesseurs de Chiens de Rouge, pour les dilettantes ou les snobs.

Avoir un Chien de Rouge implique d'ailleurs de lourdes obligations. En effet, on n'acquiert pas cet animal déjà dressé, comme on peut le faire d'un chien d'arrêt, mais à l'âge de huit ou neuf semaines. Et il faudra de trois à quatre ans pour former un chien de rouge véritablement opérationnel, ainsi qu'un conducteur connaissant les mœurs, les traces des différents gibiers — et aussi les réactions de son chien. Bref, une équipe soudée, capable de retrouver le sanglier, le cerf, le chevreuil blessés, quels que soient le temps, le terrain, les pistes de gibier sain rencontrées en cours de pistage, et en dépit de l'ancienneté de la voie (on fait généralement appel au chien de rouge lorsqu'on a épuisé toutes les recherches).

Bien sûr, la recherche peut être faite par plusieurs races de chiens de chasse; mais elle réclame des qualités spécifiques que possèdent, plus que nulle autre, les races de Chiens de Rouge. Ceux-ci ont en effet un caractère pondéré, stable, très équilibré (même si le Bavarois est plus remuant que le Chien du Hanovre). Or, il est indispensable que le chien ne s'emporte pas

sur la piste d'un autre animal; il ne faut pas non plus qu'il s'excite au départ et se lance trop rapidement, pour ensuite perdre la piste, alors que la poursuite peut être très VPC8ue. Les Chiens du Hanovre et de Bavière possèdent ce tempérament calme, mais d'une extrême persévérance, qui est nécessaire pour une recherche de longue haleine. J. G. Urban cite ainsi le cas, à vrai dire limite, d'un Chien du Hanovre « qui avait poursuivi et forcé pendant des heures le cerf blessé. Tous les deux étaient tombés d'épuisement, couchés l'un près de l'autre. Les appels du chien à son maître n'étaient plus que de petits cris rauques à peine perceptibles. »

Les Chiens de Rouge sont construits pour l'endurance, ainsi que le montrent leur ossature forte et leur vaste cage thoracique. Ils ont en outre, pour caractéristiques essentielles, un nez d'une grande puissance et une voix forte, indispensables pour les chiens dits « lanceurs » et « hurleurs à la mort », car le Chien de Rouge ne travaille pas en permanence à la longe.

LES COUSINS

Héritiers directs des limiers du Moyen Âge, les Chiens de Rouge allemands sont, de ce fait, apparentés au Bloodhound, qui dérive du Chien de Saint-Hubert. Cette race est caractérisée par sa tête très puissante et profondément ridée, sa forte corpulence (67 cm au garrot pour le mâle, et un poids de près de 50 kg). Limier, il est utilisé comme chien policier — et son grand flair se montre très efficace contre le braconnage. En Grande-Bretagne se développe un genre d'épreuve qui lui est réservé et qui obtient un grand succès auprès du public : c'est le *clean-boot,* appelé ainsi parce que l'homme recherché chausse au départ des bottes neuves.

Le chien courant du Jura type Saint-Hubert est une variété de Chien Courant Suisse, qui rappelle indiscutablement le Chien de Saint-Hubert par sa robe et sa silhouette, sa tête forte, ses replis de peau, mais dans un moindre format (il pèse environ une trentaine de kilos).

Il existe aussi, dans les pays germaniques, plusieurs races de chiens courants, plus ou moins apparentées aux Chiens de Rouge.

Les Dachsbracken sont cousins du Teckel (celui-ci étant considéré par R. Depoux comme une mutation des anciens limiers allemands) et lui ressemblent beaucoup, mais avec une taille supérieure; il existe une race de type léger, le Basset de Westphalie (de 30 à 35 cm et de 15 à 18 kg), chasseur de lièvres, et une autre plus grande, l'« Alpenländisch-Enzgelbirgler » ou Basset des Alpes (de 34 à 42 cm et de 20 à 25 kg), qui, forçant le sanglier et le cerf, est aussi chien de rouge.

Le Chien Courant Autrichien, ou Brachet Feu (Brandlbracke), évoque un peu certains Chiens Courants Suisses. De taille moyenne (de 46 à 52 cm et de 15 à 22 kg), c'est un spécialiste du gibier de montagne, très criant et doté d'une voix très grave.

Le Chien Courant Tyrolien (Tiroler Bracke), ou Brachet Autrichien à Poil Lisse (taille et poids : de 40 à 43 cm et de 15 à 22 kg), est apparenté aux Chiens de Bavière; il est souvent employé à la recherche.

Le Chien Courant de Styrie, ou Brachet de Styrie à Poil Dur, est, lui, un descendant du Chien de Rouge du Hanovre, allié au Chien Courant Autrichien et au Chien Courant d'Istrie à Poil Dur (Istarski Ostradlaki Gonic). Il a hérité de ce dernier un poil hirsute. Il est réputé posséder un caractère aussi rude que son pelage. Il mesure de 40 à 50 cm au garrot pour un poids de 18 kg environ.

CHIEN DE SAINT-HUBERT

LE MAÎTRE IDÉAL

Le Chien de Saint-Hubert est un chien de meute et de chenil.
Mieux vaut ne pas « craquer » pour lui si vous habitez en ville et en appartement,
car son tempérament s'accommode très mal d'un tel style de vie. Chien de chasse, il est ;
chien de chasse, il doit rester. Son maître, qui sera donc un Nemrod chevronné,
aura — c'est indispensable — « une main de fer dans un gant de velours ».
Qu'on se le dise, la brutalité et la nervosité sont à proscrire.

Portrait du Chien de Saint-Hubert

GROUPE
sixième

SECTION
chiens courants de grande taille

HAUTEUR AU GARROT
67 cm pour les mâles, 60 cm pour les lices

POIDS
de 40 à 48 kg

ROBE
noir et feu, ou feu unicolore

POIL
court et assez dur sur le corps ; doux sur le crâne et les oreilles

DIFFUSION
de 300 à 400 en France

DURÉE DE VIE MOYENNE
douze ans

CARACTÈRE
fidèle et doux, si on ne le maltraite pas

RAPPORTS AVEC LES ENFANTS
très bons

RAPPORTS AVEC LES AUTRES CHIENS
parfois agressif

RAPPORTS AVEC LES AUTRES ANIMAUX
fondés sur l'éducation

RAPPORTS AVEC LES CHATS
fondés sur l'éducation

APTITUDES
excellent limier, rapprocheur, chien de sang, recherche des personnes en détresse

TOILETTAGE
nul

PRIX D'ACHAT
✳✳

COÛT D'ENTRETIEN
faible

D. et S. Simon.

ORIGINE ET HISTOIRE

Avec les Gris de Saint-Louis, ramenés par le roi de ses croisades en Orient, les Fauves de Bretagne et les Chiens Blancs du Roy, le Chien de Saint-Hubert fait partie des quatre races de chiens royaux citées par Charles IX comme ancêtres de tous les chiens de grande vénerie.

Déjà, au XIV⁰ siècle, Gaston Phébus, comte de Foix, un des plus grands veneurs de l'histoire, vantait les mérites des chiens noirs qu'il avait trouvés à l'abbaye ardennaise placée sous le patronage de saint Hubert, protecteur traditionnel des chasseurs. Gaston Phébus utilisait comme limiers ces chiens noirs, portant des marques feu sur les sourcils et un peu de roux dans le pelage. Les moines de Saint-Hubert, qui faisaient l'élevage de ces chiens, offraient chaque année leurs six plus beaux jeunes sujets au roi de France, à l'occasion de son anniversaire. Cette tradition, qui dura jusqu'en 1789, contribua à faire du Saint-Hubert le plus célèbre des chiens courants français sous l'Ancien Régime, puisqu'il était l'orgueil des grandes meutes royales.

Après la Révolution, la race périclita. À la fin du siècle dernier, le comte Le Couteulx de Canteleu regrettait qu'il ne restât plus que quelques Saint-

CHIEN DE SAINT-HUBERT

Bibliothèque de Genève

Hubert en France, et encore s'agissait-il probablement de Bloodhounds d'origine anglaise. Il faut savoir, en effet, que, dès le XIᵉ siècle, Guillaume le Conquérant avait emmené des Chiens de Saint-Hubert en Angleterre, lesquels furent certainement croisés avec des Mastiffs, l'une des races les plus anciennes connues en Grande-Bretagne. Et, si les limiers dépeints par Phébus ont souvent la tête épaisse, aucun n'a la face aussi plissée que celle qui, caractérisant le Mastiff, se retrouvera chez le Bloodhound... Jusqu'à la fin du XVIIᵉ siècle d'ailleurs, on croisait couramment les chiens d'ordre avec les « chiens de force », que l'on utilisait pour organiser de spectaculaires combats contre des taureaux, d'où l'apparition du Bulldog et du Bullmastiff, qui,

Les moines de l'abbaye de Saint-Hubert (en haut), dans les Ardennes, acquièrent une renommée en élevant des chiens doués pour la chasse à courre. Dès le XIᵉ siècle, on croisa cette race avec des Mastiffs pour lui donner plus de mordant (en bas).

l'un et l'autre, ont le museau profondément plissé, comme le Saint-Hubert actuel.

Les Anglais gardèrent longtemps l'habitude d'importer des Saint-Hubert. Sous le règne d'Henri IV, en effet, des meutes entières étaient emmenées outre-Manche, notamment celles que M. de Beaumont offrit à la reine Élisabeth. Le standard actuel de la race est, selon les règles de la Fédération canine internationale, détenu par la Belgique... Il s'agit en fait du retour en leur pays d'origine (les Ardennes) de chiens mêlés d'autres races en Angleterre, puis fixés dans un nouveau standard.

Les Chiens Courants Suisses, dont on s'accorde à dire qu'ils descendent des chiens élevés autrefois dans la célèbre abbaye ardennaise, ont la tête beaucoup plus fine. Il existe toutefois une exception : les chiens courants du Jura, type Saint-Hubert, dont la tête est massive et plissée.

C'est donc essentiellement sous la forme du Bloodhound que le Saint-Hubert survit aujourd'hui en Europe. En France, à la fin du siècle dernier, Le Couteulx de Canteleu affirmait en avoir élevé plus de 300, à partir de chiens fournis par Mr. Hatford ou par les meutes de Grantley Berkeley (d'où venait l'un de ses préférés, Druid de Jennings). Aujourd'hui, M. Boitard, qui depuis plus de quinze ans en a déjà élevé au moins 500, persévère — tout en reconnaissant que ses chiens sont bien mâtinés de sang anglais et que le Saint-Hubert ancien n'existe plus...

COMPORTEMENT

Ce chien avait autrefois des qualités hors du commun que l'on peut apprécier aujourd'hui à travers le comportement du Bloodhound, dont le nom même est évocateur. En effet, ce nom, qui fut donné au Saint-Hubert après qu'il eut fait souche en Angleterre, peut se traduire par « chien de sang pur » ou par « chien près du sang ». Très fin de nez, le Saint-Hubert était utilisé par les moines des Ardennes pour retrouver les pèlerins qui se perdaient dans les immenses forêts. D'où l'habitude, plus tard, chez les Anglais, d'utiliser des Bloodhounds pour retrouver les forçats évadés des pénitenciers...

LE BLANC DE SAINT-HUBERT

Une variété du Saint-Hubert portait une robe blanche. Un gentilhomme poitevin offrit un de ces chiens (baptisé Souillard) à Louis XI, qui en fit peu de cas. Mais Anne de Beaujeu, sa fille, s'intéressa de près à l'animal : elle possédait, en effet, une lice blanche qui eut, avec Souillard, une portée de magnifiques chiots.
Sous Louis XIII, c'est sans conteste par un Chien Blanc de Saint-Hubert que l'on fit couvrir Baude, une lice originaire d'Italie. Il en naquit un chien tout blanc, à l'exception d'une seule tache jaune à l'épaule... Ce type correspond au célèbre greffier, si vanté par Charles IX dans *La Chasse royale*. Celui-ci précise que la première race de chiens blancs (de Saint-Hubert) a été « confondue avec celle des chiens greffiers ». Ce fut sans doute François Iᵉʳ qui croisa les deux pour obtenir une race unique, le Chien Blanc du Roy, d'où naquirent les Céris, les Montembœufs et les Merlants. Toutes ces races n'existent plus aujourd'hui, mais on retrouve leurs caractéristiques chez le Billy. Quant au Blanc de Saint-Hubert, il a aussi disparu, mais il se perpétue sans doute dans les chiens courants schwytzois et les Porcelaines.

Bulloz

STANDARD DU CHIEN DE SAINT-HUBERT

ASPECT GÉNÉRAL

Chien lourd et massif, à la démarche lente et imposante.

APTITUDE

Chien de limier par excellence.

TÊTE

Un des points les plus caractéristiques de la race ; elle doit être bien formée, grande dans toutes ses dimensions, hormis dans la largeur. *Crâne :* très haut et pointu, l'os occipital extrêmement développé ; l'arcade sourcilière est peu proéminente et l'expression de la tête exprime grandeur et majesté ; la peau du front et des joues est profondément ridée, plus que chez toute autre race de chien. *Yeux :* de couleur brun noisette foncé ; la paupière inférieure est très pendante, de façon à montrer une muqueuse oculaire d'un rouge foncé ; étant assez enfoncés dans la tête, les yeux paraissent relativement petits. *Nez :* de préférence noir, éventuellement brun marron pour les robes sans manteau noir. *Babines :* très longues et pendantes ; leur extrémité inférieure doit se trouver à 5 cm plus bas que le coin de la bouche. *Mâchoires :* très longues et larges près des narines ; creuses et maigres sur les joues et surtout sous les yeux. *Oreilles :* suffisamment longues, pour que, passées par-dessus le nez, elles le dépassent encore ; attachées bas, elles pendent en avant contre les mâchoires en plis gracieux ; la peau, très mince, est couverte de poils très courts, doux et soyeux.

COU

Long, afin que le chien puisse suivre la piste le nez sur le sol, sans ralentir sa course ; bien musclé et portant des fanons extrêmement développés.

ÉPAULES

Obliques et très musclées.

POITRINE

Large et profonde.

DOS

Large et profond ; très fort en raison de la grandeur du chien ; les flancs sont larges, presque grossiers.

VENTRE

Légèrement relevé.

PATTES

Droites, musclées et de bonne ossature ; les jarrets bien développés.

PIEDS

Ronds, en « pieds de chat ».

QUEUE

Portée en courbe élégante et plus haut que la ligne du dos, mais pas sur le dos ou en trompette. Le dessous de la queue est garni de poils de 5 cm environ de longueur, devenant graduellement plus courts vers la pointe.

POIL

Court et assez dur sur le corps, mais doux et soyeux sur les oreilles et sur le crâne.

COULEUR DE LA ROBE

Noir et feu, unicolore feu, brun et feu ; la première couleur est la plus recherchée ; la couleur noire doit s'étendre sur le dos en forme de selle, sur les flancs, le dessus de la nuque et la pointe de la tête. Le blanc n'est pas admis ; toutefois, un peu de blanc à la poitrine ou sur les pattes n'entraîne pas la disqualification.

HAUTEUR AU GARROT

Mâles : environ 67 cm ; femelles : environ 60 cm.

DISQUALIFICATION

Nez rose ou d'une autre couleur que noir ou brun marron ; une robe de couleur jaune clair ; yeux : iris jaune clair et yeux vairons.

POINTS DE NON-CONFIRMATION

TYPE GÉNÉRAL : manque de type ; taille sortant des limites prévues au standard. *Points particuliers dans le type :* construction et ossature insuffisantes entraînant l'inaptitude à la chasse ; tête trop petite et trop sèche ; oreille trop courte ou trop plate ; fouet défectueux ; présence d'ergots ou de toute trace d'ablation d'ergots aux membres postérieurs. ROBE : autre que celles prévues au standard ; excès de blanc au poitrail ou aux pieds ; yeux trop clairs ; ladre (dépigmentation exagérée à l'extérieur des narines, aux paupières et aux organes génitaux externes).

ANOMALIES

Prognathisme supérieur ou inférieur. Monorchidie, cryptorchidie.

(D'après la Commission zootechnique du 10 décembre 1981.)

D. et S. Simon

D. et S. Simon

Doué d'un flair exceptionnel (et cela dès son plus jeune âge), le Chien de Saint-Hubert a la réputation d'être le meilleur de tous les limiers. Très consciencieux dans sa recherche, il se déplace avec lenteur, qualités essentielles chez un chien de sang.

Stephan Levoye

D. et S. Simon

LE CHIEN COURANT DU JURA TYPE SAINT-HUBERT

Les Suisses, ayant décidé de simplifier le standard de leurs Chiens Courants en les regroupant en quatre variétés (qui ne diffèrent pratiquement que par la robe), ont finalement ajouté une cinquième variété, le chien courant du Jura type Saint-Hubert, qui se distingue du type Bruno non par la robe, mais par quelques éléments de morphologie. La tête est en effet plus lourde, la peau est lâche, le cou est épais et pourvu d'un fanon, les membres sont fortement charpentés ; ce chien est aussi plus petit que le Chien de Saint-Hubert ; en effet, sa hauteur au garrot doit être de 42 à 52 cm alors qu'elle est de 60 à 67 cm pour la race type.
Il est possible que les chiens courants du Jura type Saint-Hubert ne soient pas uniquement issus des Chiens de Saint-Hubert et des chiens argoviens ; ils ont sans doute aussi reçu un peu de sang des « chiens de taureaux » anglais.

Le chien courant du Jura type Saint-Hubert, appelé aussi chien d'Argovie ou hurleur du Jura, a une voix puissante et sonore. Il est surtout utilisé pour la chasse du chevreuil.

Peu rapides, mais très accrocheurs : cette définition correspond bien aux chiens que le comte de Foix, puis les rois de France, voulaient utiliser surtout comme limiers... D'ailleurs, en Grande-Bretagne, on appelle aussi ce chien « Sleuth Dog » (*sleuth* est, à l'origine, un terme qui désigne un fin limier, au sens canin du terme, mais qui est passé dans le langage populaire pour indiquer un détective rusé — ce que l'on retrouve, en français, dans l'expression « fin limier »).

Aux États-Unis, également, on utilise le Bloodhound pour retrouver les malfaiteurs en fuite. L'éleveur français cite à ce sujet plusieurs anecdotes révélatrices. Ainsi, une revue de la police de Louisiane a publié un entrefilet qui est un véritable brevet d'efficacité : « Bayou, Bloodhound privé, appartenant à Mr. Fesk, a enfin retrouvé Jo Kent, en fuite depuis dix jours du pénitencier. Mr. Fesk a sorti son chien samedi très tôt, à 6 h 30. Jo Kent a été retrouvé en fin d'après-midi dans les marécages du comté de St. Rose. » Toujours d'après M. Boitard, un Bloodhound a pisté un tueur en fuite pendant quinze jours. Les coussinets de ses pieds étaient en sang, tout comme ses narines, qu'irritait l'abondante poussière qu'il respirait. Le chien a retrouvé le fuyard, alors que la police n'arrivait pas à le repérer malgré l'aide de deux hélicoptères. Notre éleveur a également vendu des chiens à des pompiers pour la recherche de personnes égarées. Ils sont, selon les utilisateurs, plus efficaces dans ce rôle que les Bergers Allemands.

Pour les chasseurs, le principal défaut du Bloodhound est sa lenteur, ce qui explique qu'il ait été peu à peu délaissé en France. Mais sa finesse de nez et sa persévérance le rendent excellent comme limier ou comme rapprocheur, et, à l'instar de son ancêtre le Saint-Hubert, il reste le meilleur pisteur de tous les chiens de vénerie, avec une voix dont le timbre est d'une belle puissance. Cependant, la vénerie arrivant difficilement à survivre, le Bloodhound n'est plus utilisé dans l'Hexagone que par les chasseurs à tir, qui en font aussi un chien de sang. De la même façon, il est très prisé en Allemagne pour la recherche du grand gibier blessé.

Outre sa finesse de nez et sa ténacité (Le Couteulx de Canteleu n'affirmait-il pas que, par obstination, un Bloodhound est capable de forcer un cerf à lui seul ?), le Chien de Saint-Hubert fera preuve d'un grand attachement envers son maître, tout au moins si ce dernier ne le maltraite pas. En revanche, il peut se montrer vindicatif avec d'autres représentants de l'espèce.

CHIHUAHUA

LE MAÎTRE IDÉAL

Le Chihuahua, en dépit de sa taille minuscule, n'a rien d'une petite saxe.
C'est un vrai chien, éveillé et volontaire, qui a tout à gagner à recevoir
une éducation douce. Son maître de prédilection sera une personne calme,
posée et conséquente avec soi-même, en bref, une personne équilibrée qui veillera
à ne pas le couver ou le gâter outre mesure ; un sédentaire invétéré
lui conviendra aussi peu qu'un grand sportif.

Portrait du Chihuahua

GROUPE
neuvième

SECTION
Chihuahua

HAUTEUR AU GARROT
de 16 à 20 cm environ

POIDS
en général, entre 1 et 2 kg

ROBE
toutes couleurs admises, souvent unicolores, du blanc ou du crème jusqu'au noir, en passant par le noir et feu

POIL
à poil court ou à poil long

DIFFUSION
plus de 3 000 sujets en France

DURÉE DE VIE MOYENNE
douze ans

CARACTÈRE
volontaire et affectueux

RAPPORTS AVEC LES ENFANTS
très bons

RAPPORTS AVEC LES AUTRES CHIENS
très bons

RAPPORTS AVEC LES AUTRES ANIMAUX
à surveiller en raison de la taille du chien

RAPPORTS AVEC LES CHATS
à surveiller en raison de la taille du chien

APTITUDES
chien de compagnie

ESPACE VITAL
parfaitement adapté à la vie en appartement

ALIMENTATION
besoins très minimes

TOILETTAGE
aucun

PRIX D'ACHAT
✱✱✱

COÛT D'ENTRETIEN
très faible

D. et S. Simon.

ORIGINE ET HISTOIRE

Grâce à sa réputation de chien le plus petit du monde, le Chihuahua jouit d'une notoriété certaine. Mais — comme il en va pour bien d'autres races — ses origines sont l'objet de controverses.

L'hypothèse la plus souvent admise le fait descendre du Techichi, un chien élevé par les Toltèques, peuple qui a précédé les Aztèques au centre du Mexique et dont la civilisation a atteint son apogée vers le Xe siècle. Le Techichi était un chien de petite taille mais vigoureux, à la forte ossature, à poil long et, semble-t-il, assez curieusement muet. La présence du Techichi au temps des Toltèques est attestée par des gravures sur pierre, comme on peut en voir au monastère franciscain de Huejotzingo, situé entre Mexico et Puebla (ce couvent fut construit vers 1530 à l'aide de matériaux empruntés aux pyramides toltèques de Cholula ; sur plusieurs blocs se trouvent des gravures figurant soit une tête de chien, soit un chien en entier, présentant d'évidentes analogies avec le Chihuahua). Des représentations similaires se retrouvent dans une région voisine, au Yucatán, siège d'une civilisation maya-toltèque, parmi les restes d'anciennes pyramides qui se dressaient à Chichén Itzá.

Au XIVe siècle, les Aztèques, dont la civilisation et les mœurs nous sont mieux connues, ont supplanté les Toltèques. Alors qu'ils avaient peu d'animaux domestiques, le chien semble avoir été assez répandu, pour des raisons utilitaires, mais aussi — et peut-être surtout — religieuses. Puis, entre 1519 et 1525, Cortés et ses conquistadores anéantirent la civilisation aztèque, exterminant les classes dirigeantes et réduisant le peuple en esclavage. Les ecclésiastiques arrivés dans les bagages du conquérant entreprirent de détruire l'ancienne religion et ses rites. Que devinrent, pendant cette sanglante période, les chiens sacrés, descendants de l'antique Techichi et ancêtres probables du moderne Chihuahua ? On ne le sait. Peut-être se sont-ils tout simplement mêlés aux autres chiens. Les Espagnols, ignorant sans doute leur rôle dans les rites de la religion traditionnelle, les épargnèrent (d'un point de vue religieux, s'entend ; en effet, certains moines installés au Mexique adoptèrent les mœurs culinaires des autochtones et firent de l'élevage canin pour se nourrir).

Pendant plusieurs siècles, les chiens des Aztèques semblent être sortis de l'histoire, aucun document ne les mentionnant. Puis, vers 1850, en recherchant près de Casas Grandes les ruinés d'un palais construit par l'empereur Moctezuma, des archéologues mirent au jour les premières représentations de chiens datant de l'époque aztèque. Ces chiens avaient un évident air de famille avec ceux que les paysans mexicains vendaient, à l'époque, aux touristes américains ; Casas Grandes se trouvant dans l'État de Chihuahua, on en conclut que c'était là le berceau de ces chiens étonnants,

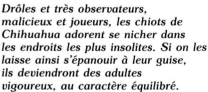

Drôles et très observateurs, malicieux et joueurs, les chiots de Chihuahua adorent se nicher dans les endroits les plus insolites. Si on les laisse ainsi s'épanouir à leur guise, ils deviendront des adultes vigoureux, au caractère équilibré.

et on leur donna donc le nom de cet État : le Chihuahua, promis à un si grand succès, était né. Pour expliquer les différences d'aspect entre les anciennes représentations aztèques et le Chihuahua moderne — différences dont conviennent tous les spécialistes de la race —, on suppose que les chiens aztèques ont été croisés avec des chiens nus (le père Sahagun, un franciscain de l'époque de la conquête espagnole, signale dans ses écrits qu'il existait, à côté d'un petit chien jaune fort estimé, des chiens nus). Ces chiens nus, originaires d'Asie, seraient arrivés sur le continent américain par l'isthme qui, à l'emplacement de l'actuel détroit de Behring, reliait les deux continents à une époque fort lointaine. Cette hypothèse est soutenue,

UN GUIDE POUR L'AU-DELÀ

Les castes dirigeantes chez les Aztèques avaient un attachement particulier pour l'espèce canine, qui était chargée de symbolisme religieux. Le chien était en effet considéré comme un animal psychopompe, dont la fonction était de conduire l'âme humaine à travers les ténèbres jusqu'à son but ultime. Sans chien, l'âme des Aztèques était condamnée à errer sans fin. On comprend que ceux-ci aient traité avec considération un guide si précieux. Le chien tient d'ailleurs ce rôle dans différentes mythologies, où on le retrouve constamment associé à la mort, aux enfers et au périple dans l'au-delà. Qu'il s'agisse d'Anubis chez les Égyptiens, du Cerbère des Grecs, de T'ien K'uan chez les Chinois, du terrible Garm des Germains... ou de Xolotl chez les Aztèques, plusieurs religions ont fait du meilleur compagnon de la vie de l'homme le guide de son âme après la mort. Avec d'ailleurs, dans certaines mythologies, un aspect assez ténébreux (qu'on retrouve, dans l'Europe du Moyen Âge, avec le caractère satanique attribué au chien noir, censé annoncer la présence invisible du Prince des Ténèbres...).
Cette diabolisation du chien, due à la volonté de l'Église de noircir de vieilles croyances païennes, était évidemment inconnue des Aztèques, qui élevaient des chiens spécialement destinés à les accompagner et à les guider dans l'au-delà :

« On enterrait avec le cadavre, indique Raphaël Girard, un chien couleur de lion — c'est-à-dire de soleil — qui accompagnait le défunt comme Xolotl, le dieu-chien, avait accompagné le soleil pendant son voyage sous la terre. » Ou bien on procédait au sacrifice d'un chien, de couleur rouge celui-là, sur la tombe du mort : en prenant en charge ses fautes, l'animal devait aider le défunt à franchir les neuf fleuves défendant l'accès de la demeure éternelle des morts, le Chocomemictlán, le neuvième ciel.
Nous avons une confirmation astrologique de la place éminente du chien dans la religion des anciens Mexicains : la treizième constellation du zodiaque aztèque — dans une civilisation ayant acquis une remarquable connaissance des données astronomiques — est celle du Chien, constellation clef, qui introduit l'idée de la mort mais annonce aussi le renouvellement ; ce qu'il faut mettre en relation avec un des mythes centraux de la cosmogonie aztèque : c'est grâce aux ossements volés par Xolotl, le dieu-chien, que les dieux ont façonné une nouvelle race humaine...
Tous les chiens, cependant, n'étaient pas traités avec les mêmes égards puisque, dans l'Amérique précolombienne, le peuple mangeait volontiers certains chiens, qui devaient être, selon les descriptions de prêtres franciscains, des chiens nus. Il semble d'ailleurs que le chien ait été, avec le dindon, le principal animal domestique.

STANDARD DU CHIHUAHUA

CARACTÉRISTIQUES GÉNÉRALES

Plusieurs traits font de ce chien un cas très particulier au sein de l'espèce canine. Le plus manifeste est leur taille minuscule. On trouve des sujets de 0,9 kg et certains de 3,5 kg, mais le poids moyen est de 1,3 kg à 1,8 kg — ce qui fait apparaître le Chihuahua bien petit, en raison de son corps très compact (aux États-Unis, un sujet d'exposition ne doit pas dépasser 6 livres). En dépit de leur petitesse, les Chihuahuas sont alertes et vifs. Très intelligents, aux mouvements rapides, ils sont courageux, voire agressifs envers des chiens pourtant plus grands qu'eux. Chiens de compagnie par excellence, ils sont très attachés à leurs maîtres mais ne tolèrent guère les étrangers, ce qui en fait de bons gardiens à l'occasion, car ils aboient rageusement et donnent l'alarme au moindre bruit insolite.

TÊTE

Elle donne aux Chihuahuas leur apparence peu commune. La beauté de la tête repose sur la correction de sa forme. Elle doit être ronde comme une pomme, avec des joues fines et un stop accentué. Ce qui différencie encore ces chiens des autres, c'est la fontanelle pariétale, existant même chez les sujets âgés. *Museau :* il doit être court et un peu pointu ; une truffe très noire est recherchée ; dans les types blonds ou clairs, le nez peut être noir ou clair ; le rose est admis ; dans les couleurs chocolat, bleu ou taupe, le nez peut être de la même couleur que la robe. *Yeux :* ils doivent être très brillants, pleins, pas trop proéminents et bien écartés ; ils peuvent être noirs, marron, bleus, rubis, lumineux ; dans les types blonds, les yeux clairs sont admis. *Oreilles :* elles doivent être très grandes et très écartées ; elles doivent être tenues droites à l'état d'alerte et tenues inclinées à 45° à l'état normal. *Mâchoires et dents :* les mâchoires ne doivent être ni fortes, ni saillantes ; les maxillaires doivent être minces et pourvus de dents fines, régulièrement plantées ; un léger prognathisme peut être admis, mais les dents ne doivent jamais être visibles.

COU

Il doit être rond, bien proportionné, descendant gracieusement jusqu'au garrot.

CORPS

Le corps du Chihuahua est très compact, plus long que haut, de forme cylindrique ou, mieux, légèrement levretté, ce qui donne à ce petit chien son allure svelte et gracieuse.

ÉPAULES

Elles doivent être fines. Les articulations doivent être souples et hautes afin de donner une poitrine dégagée.

MEMBRES ANTÉRIEURS

Les pattes de devant doivent être moyennement hautes et droites. Des pattes un peu courtes et légèrement arquées sont admises.

ARRIÈRE-MAIN

Elle doit être musclée, les jarrets distants l'un de l'autre et donnant un bon aplomb. En action, l'arrière-main doit être dégagée, ce qui donne au Chihuahua son allure légère lorsqu'il marche, court ou trottine.

D. et S. Simon

QUEUE

Elle doit être modérément longue et portée retournée sur le dos ou légèrement sur le côté. Les poils de la queue doivent être en harmonie avec ceux du corps, mieux fournis que ceux-ci autant que possible. La queue sans poils est admise.

ROBE

Il y a deux variétés de Chihuahuas : les Chihuahuas à poils longs, ondulés ; ces sujets sont rares ; les Chichuhuas à poils courts, serrés et luisants ; ces sujets sont, de loin, les plus nombreux. Un petit collier au cou est toujours recherché ; le poil du cou peut être plus rare que sur le restant du corps. Toutes les couleurs et tous les mélanges de couleurs sont permis ; c'est une affaire de goût personnel. Les couleurs les plus répandues et appréciées sont : fauve ou marron ; chocolat ; fauve ou marron bringé ; blanc ; crème ; fauve argent ; gris argent ; noir et feu ; noir.

PIEDS

Ils doivent être petits, les doigts bien séparés, la plante ronde, les paturons fins. Les ongles sont longs et recourbés.

POIDS

On peut trouver des Chihuahuas, parmi les plus petits, pesant 0,9 kg et, parmi les plus grands, pesant 3,5 kg ; c'est l'exception. Mais le poids moyen véritable du Chihuahua varie entre 1,3 et 1,8 kg. Entre deux Chihuahuas d'égale beauté, la préférence est donnée au plus petit.

POINTS DE NON-CONFIRMATION

TYPE GÉNÉRAL : manque de type, traduisant notamment l'apport de sang étranger à la race, poids non compris dans les limites du standard (de 0,9 à 3,5 kg). *Points particuliers dans le type :* tête plate ou trop allongée, rappelant le Pinscher ; yeux trop globuleux et proéminents (type Pékinois), chanfrein trop long, stop non accentué, oreilles tombantes, trop petites ou coupées, queue cassée, ou coupée, ou anourie. ROBE : présence de ladre, yeux clairs (sauf avec les robes « blondes »). CARACTÈRE : sujet trop agressif.

ANOMALIES

Monorchidie, cryptorchidie. Prognathisme supérieur, prognathisme inférieur prononcé. Denture : manque d'une canine ou manque de plusieurs carnassières. Malformations diverses : cécité, surdité, absence d'un doigt, absence de poil (rappelant le chien nu).

en particulier, par M. de Blind, éleveur mexicain faisant autorité en matière de race Chihuahua, qui a parcouru à cheval une partie du Mexique à la recherche des origines de ce chien. Il assure que le petit chien nu arrivé d'Asie, responsable de la diminution de la taille du Chihuahua moderne, était semblable au Chien Chinois à Crête.

Pour d'autres, les chiens nus ont été amenés au Mexique par des navires débarquant, à Acapulco et dans d'autres ports, des épices en provenance d'Extrême-Orient — on aurait donc découvert ces chiens grâce aux marins chinois.

Ce Chihuahua à poil long n'a aucun complexe à poser à côté d'une porcelaine grandeur nature le représentant à poil court.

Quel qu'ait été leur acheminement, les chiens nus étaient répandus à la frontière du Mexique et des États américains du Sud dès avant le milieu du XIXe siècle. Ces chiens nus, sans doute à cause de leur aspect étrange, furent connus avant le Chihuahua, lequel n'était pas alors aussi minuscule qu'aujourd'hui.

LA REPRODUCTION CHEZ LE CHIHUAHUA

Contrairement à ce qu'on pourrait imaginer, compte tenu de la taille de ces chiens, la mise bas ne soulève pas de difficulté particulière — à condition que certaines précautions soient prises. C'est pourquoi, l'élevage du Chihuahua reste une affaire de spécialistes, prise en charge par des éleveurs ayant suffisamment d'expérience pour prévoir et prévenir d'éventuelles complications — et pouvant compter sur le soutien de vétérinaires susceptibles d'intervenir à bref délai, si nécessaire.

La future mère ne doit pas être trop petite, ni trop gracile; en revanche, il est désirable que l'étalon combine de grandes qualités de type avec une taille minimale. Il est en outre essentiel de connaître la taille des ascendants des futurs parents, celle du maximum de leurs colatéraux, voire de leurs descendants. La femelle doit être arrivée à maturité, physiquement et psychiquement (trop jeune, elle serait excessivement joueuse et ne s'occuperait pas de ses petits), mais il est préférable qu'elle soit âgée de moins de trois ans lors de sa première gestation. Une saillie à l'occasion de la deuxième chaleur paraît être la solution optimale. L'âge du mâle importe peu, le Chihuahua restant vigoureux et fertile jusqu'à un âge avancé.

Les portées sont peu nombreuses (pas plus de trois chiots en général, chacun pesant de 60 à 80 g, selon leur nombre). Les naissances par césariennes, peu fréquentes, sont cependant quelquefois indispensables lorsqu'il n'y a qu'un seul petit.

La possibilité de contacter rapidement un vétérinaire est alors d'importance vitale; mais son intervention est aussi nécessaire, en cas de naissance normale, pour aider la mère si l'accouchement dure longtemps (c'est assez souvent le cas), ou la remettre d'aplomb ensuite (en évitant par exemple une crise d'éclampsie).

La chienne est en général une excellente mère, qui s'occupe bien de ses chiots, qu'elle défend parfois jalousement. Certains éleveurs placent les chiots sous couveuse; à tort, le plus souvent, car ils ne sont pas spécialement fragiles, et se montrent même très vifs et précoces. Là encore, il faut rappeler que le Chihuahua n'est pas un chien à « couver » excessivement — ni au sens propre, ni au sens figuré! En revanche, il sera important de veiller à l'alimentation du chiot, en l'habituant très progressivement, à partir de la quatrième semaine, à ingurgiter quelques grammes de viande finement hachée, pour réaliser le sevrage.

C'est cet historique que retiennent les spécialistes américains et français. Mais d'autres hypothèses ont été formulées. Ainsi, le Chihuahua pourrait avoir une origine européenne : de petits chiens originaires du bassin méditerranéen et de l'île de Malte auraient été diffusés par les Espagnols. E. Goodchild, qui soutient cette théorie, veut en voir confirmation sur des fresques de Botticelli, qui représenteraient des chiens analogues au Chihuahua. La démonstration est peu convaincante...

Il est enfin des auteurs qui mettent en doute la présence même de chiens au Mexique avant les conquistadores. Ils soulignent que les nouveaux arrivants assimilèrent les espèces qu'ils ne connaissaient pas aux animaux domestiques d'Europe et prirent ainsi pour des chiens le coati, le raton laveur ou l'opossum... Cela aurait été le cas, déjà, de Christophe Colomb qui, après avoir découvert l'île de Cuba, évoquait dans une lettre au roi d'Espagne « une race de petits chiens domestiqués mais muets, n'aboyant pas ». D'autres témoignages, parlant de chiens grimpant aux arbres, paraissent évidemment quelque peu fantaisistes...

Pourtant, à en croire des auteurs autorisés comme Jacques Soustelle, le chien a bel et bien eu une grande place dans les anciennes civilisations du Mexique — toltèque, maya, aztèque. (Le débat n'est cependant pas clos, puisqu'un archéologue mexicain, le docteur Isaac Ochoterena, aurait déclaré n'avoir retrouvé aucun vestige de chien dans une tombe authentiquement aztèque...)

Hormis les origines plus ou moins lointaines du Chihuahua, ce sont les Américains qui ont créé la race telle qu'elle existe aujourd'hui (les sujets mexicains actuels étant eux aussi de souche américaine), par un travail de sélection destiné à obtenir la plus remarquable race miniature. En 1904, le premier Chihuahua est inscrit par l'American Kennel Club : il s'appelle Midget (ce qui veut dire « minuscule ») — et ce nom démontre que la caractéristique la plus notoire de la race est bien établie dès ce moment...

La race comporte une variété à poil long et une variété à poil court, qui, dans les premiers temps, n'étaient pas séparées. Il semble que les premiers éleveurs américains aient considéré le Chihuahua à poil long comme étant d'origine : l'étalon Caranza, un des géniteurs modernes de la race, possédait un poil long. Mais le Club américain du Chihuahua, fondé en 1923, mit avant tout l'accent sur les poils courts, qui retenaient davantage l'intérêt du public, et laissa dans l'ombre la variété à poil long. Les spécimens de cette variété étaient devenus fort rares, lorsqu'elle fut reconnue officiellement en 1952 ; en effet, parmi les premiers champions figurent des sujets brésiliens et colombiens, dont on ne connaît pas précisément l'ascendance... Ce qui fait dire à certains spécialistes que le poil long actuel résulte du croisement avec plusieurs autres petites

Malgré sa petite taille, le Chihuahua est un chien rustique. S'il passe de longues heures dans un jardin, son pelage (ici une variété à poil court) sera d'autant plus lustré. Inutile de lui mettre un manteau.

D. et S. Simon

races, en particulier l'Épagneul papillon. La position typique des oreilles chez les Chihuahuas (10 h 10, lorsqu'on regarde le chien de face) est parfois défectueuse chez les sujets à poil long : implantées haut, les oreilles de cette variété sont pointues, avec des franges très longues même en leur sommet (et non des franges dégradées) — ce qui pourrait effectivement indiquer une infusion de sang d'Épagneul papillon. Il est à noter que le croisement entre les variétés du Chihuahua est interdit par la Commission zootechnique de la Société centrale canine depuis 1980.

Le Chihuahua n'est arrivé en Europe qu'après la Seconde Guerre mondiale. En 1956, J. Dhers, un spécialiste qui fréquentait beaucoup les expositions canines, en France et à l'étranger, notait : « Je mentionne ici, uniquement pour mémoire, un chien dont personne n'a parlé de façon nette et précise. Nous en avons vu quelques spécimens assez différents les uns des autres dans certaines expositions ; quant à être fixé sur le véritable modèle type, cela est jusqu'à ce jour à peu près impossible, aucun document officiel, aucun écrit sérieux ne pouvant être consulté. Le Chihuahua est très rare en France et même en Europe, il est d'ailleurs assez peu décoratif, du moins les sujets que nous avons vu exposés sous ce nom. Ce très petit chien est, prétend-on, originaire du Mexique. On le dit vigoureux, réfractaire à la maladie [?], ce qui cadre assez mal avec son aspect frêle et ses pattes grêles. » On voit que, à cette époque, ce chien était fort mal connu dans notre pays, même parmi les cynophiles.

Le Club français du Chihuahua fut fondé dans les années soixante par Mme Arnayon-Yvaren, qui en fut présidente jusqu'en 1969 — date à laquelle le flambeau fut repris par Mme Ostrach. De 60 membres environ, le club est passé à plus de 500. Il y a quelques années, la demande s'est portée sur le Chihuahua à poil long, rare et donc fort recherché. Actuellement, les effectifs de cette variété, en forte augmentation, rejoignent ceux de la variété à poil court.

Page précédente : D. et S. Simon. — D. et S. Simon.

COMPORTEMENT

Très petit, le Chihuahua pèse, en moyenne, entre 0,9 et 2 kilos. Ce chien, d'autant plus minuscule qu'il est très compact, représente sans aucun doute la tentative la plus réussie de modèle réduit de l'espèce canine. La tendance à la miniaturisation extrême de certaines races conduit à des abus : bien des éleveurs de petites races sont en effet séduits par l'idée d'obtenir une diminution maximale de la taille et du poids — sous la pression, il faut le souligner, du public, qui désire généralement un chien le plus petit possible. Si quelques centaines de grammes en plus ou en moins ne sont pas sensibles quand on porte un Chihuahua dans les bras, ils représentent pourtant un tiers, voire plus, du poids de l'animal et sont essentiels à sa résistance et à sa santé. On a même obtenu des sujets de 450 grammes, et moins, malheureux avortons que l'homme réussissait à maintenir quelque temps en vie, à grand-peine. L'idéal est d'arriver à produire des lignées de chiens pesant en moyenne entre 1 et 2 kilos, parfaitement sains et robustes. Les meilleurs éleveurs sont bien conscients des dangers d'une réduction excessive du poids du Chihuahua, en deçà du kilo : « Notre club, rappelle la présidente du Club français,

se prononce catégoriquement contre toute tentative de miniaturisation exagérée, miniaturisation tellement en vogue dans d'autres races. »

Cette position intransigeante permet d'assurer une reproduction normale et de garantir un tempérament équilibré. Si cet impératif est respecté, le Chihuahua est nettement plus résistant et vigoureux que beaucoup d'autres petits chiens, malgré les apparences. Avec ses pattes extrêmement fines, par exemple, on pourrait penser qu'il est sujet aux fractures ; or, celles-ci restent relativement rares.

Mener une vie saine et rustique, une vie normale de chien en somme, comportant de petites promenades (l'idéal étant de disposer d'un coin de jardin où l'animal puisse s'ébattre), est bien plus profitable au Chihuahua que d'être confiné dans un appartement ou de rester, comme les chiens de manchon d'autrefois, dans les bras de sa maîtresse ; trop couvé, le chien deviendra fragile ou souffreteux, capricieux, hypernerveux et sans appétit.

Sur le plan de la santé, le seul vrai point faible du Chihuahua — et il n'est en ce domaine pas mieux loti que les autres petits chiens — concerne la dentition. Celle-ci est en effet fréquemment chargée de tartre — lequel se signale au début par une haleine désagréable et peut provoquer ensuite des abcès ; de plus, on observe parfois une mauvaise implantation de certaines dents, si les mâchoires sont trop étroites. Il est donc fortement conseillé de suivre attentivement l'éruption et la pousse des dents, et de faire régulièrement examiner le chien à ce sujet par le vétérinaire.

Le Chihuahua ne craint pas la chaleur et il supporte aussi convenablement le froid, qui n'est à craindre que si la sortie est trop brève (on sait que les refroidissements surviennent à la suite de brusques différences

Le Chihuahua à poil long (à gauche) serait à l'origine de la race, mais celui à poil court (à droite) eut davantage de succès. Ils sont aujourd'hui égaux dans la balance. Une particularité commune aux deux variétés : leurs grandes oreilles très écartées, à 10 h 10, souvent en état d'alerte.

de température, plutôt que de températures extérieures très basses). Un petit manteau n'est donc pas obligatoire, mais il est recommandé pour les courtes sorties strictement hygiéniques pendant la mauvaise saison. On ne doit pas non plus hésiter à sortir le chien quand il pleut : il suffit de le sécher soigneusement dès son retour à la maison. Beaucoup de Chihuahuas souffrent d'avoir des ongles trop longs, ne s'usant pas par manque d'exercice. Il faut donc veiller à ce que leur longueur ne dépasse pas une valeur anormale (le standard, qui mentionne comme caractéristique de la race des ongles longs, fait là, à notre avis, une erreur).

Le Chihuahua apprécie la compagnie de ses congénères, et particulièrement de ceux de sa race. Voilà une bonne occasion de cabrioler, de sauter, de courir ensemble. Est-il excessivement bruyant ? Tout dépend

LE CHIHUAHUA EN CHIFFRES

En France, le Chihuahua, poil court et poil long confondus, connaît une progression régulière. En effet, si le Livre des origines français n'en avait enregistré que 65 en 1970, les inscriptions étaient de 285 en 1980 et de 532 en 1987. On peut estimer que les effectifs dépassent en tout 3 000 sujets, ce qui fait du Chihuahua une des valeurs sûres des chiens de compagnie.
En Grande-Bretagne, les Chihuahuas sont nettement plus nombreux qu'en France — bien qu'en légère régression actuellement. Les deux variétés étant enregistrées séparément, le Kennel Club dénombre aujourd'hui 2 fois plus de poils longs (de 1 500 à 1 600 par an) que de poils courts (de 750 à 800). C'est aux États-Unis, berceau de la race, que le Chihuahua est le plus apprécié : en 1986, la race faisait partie des 200 premières, avec près de 20 000 inscriptions à l'American Kennel Club. Sa diffusion totale outre-Atlantique est de l'ordre de 150 000 à 200 000 sujets ! Et elle continue à progresser, puisque 4 000 naissances ont eu lieu entre 1982 et 1986.

de ses maîtres. Doté normalement d'un bon équilibre psychique — surtout s'il n'est pas excessivement petit —, le Chihuahua est plutôt silencieux, sauf si un bruit insolite l'inquiète ; il fait alors entendre des aboiements aussi aigus que décidés. Les chiens difficiles, hargneux, constamment aboyeurs appartiennent souvent à des maîtres qui transmettent leur stress à leurs compagnons ou qui les font vivre dans une atmosphère trop confinée (l'aboiement est alors un moyen de tromper l'ennui). Toutefois, le Chihuahua est suffisamment indépendant pour supporter un peu de solitude sans geindre ou commettre des dégâts.

Vivant dans l'intimité familiale, les Chihuahuas, très influencés par l'attitude de chacun, peuvent se révéler de caractères très divers : il en est de spécialement câlins et tendres tandis que d'autres sont très comédiens et joueurs. Tous se montrent très au fait des habitudes de leur maître, au point que, si ce dernier oublie de prendre son médicament à l'heure dite, le Chihuahua le remarquera et le signalera. En effet, le trait dominant de la race est son caractère volontaire et intelligent. Malicieux, futé, très observateur, ce chien n'a pas son pareil pour mener toute la maisonnée à sa guise. On a aussi vu des Chihuahuas dominer l'autre chien de la famille, pourtant beaucoup plus grand.

Sa petite taille en fait un animal particulièrement adapté à la vie en appartement. On peut même le faire vivre comme un chat, en mettant à sa disposition une caisse pour ses besoins. Si, en revanche, l'heureux propriétaire d'un Chihuahua ne veut jamais se séparer de cet attendrissant compagnon, il dispose d'une grande liberté de mouvement : il peut en toute quiétude et incognito emmener son chien dans ses déplacements, en voiture, en taxi, en train, en autobus, en métro, en avion. La pancarte « chiens interdits » ne

CHIHUAHUA

semble pas concerner le Chihuahua : dans le sac ou sous le manteau, il comprend qu'il doit rester silencieux, ce qui permet d'aller avec lui au cinéma, au spectacle, de visiter un musée ou une exposition sans problèmes. Les hôtels et restaurants, même, ne font généralement pas de difficultés pour accepter un si petit chien, parfaitement capable de passer inaperçu.

Sur le chapitre de la nourriture, 70 grammes d'aliment complet sec, par jour, conviennent parfaitement. Mais l'aliment tout prêt ne s'impose pas, même en voyage, étant donné les faibles quantités nécessaires au Chihuahua : 50 grammes maximum par jour de viande de bonne qualité lui suffisent, accompagnés du même volume de légumes verts et d'un laitage. Il faut éviter de distribuer des gâteries au Chihuahua à tout moment : vu ses faibles besoins, il pourrait bien refuser son repas habituel, inquiétant inutilement son entourage qui supposerait vite que le malheureux animal manque d'affection, qu'il couve quelque chose... Alors que, dans la plupart des cas, il est déjà amplement rassasié par tout ce qu'il a pu manger pendant la journée !

À trois mois, ce chiot pèse 480 grammes. Mais, comme tout chien bien éduqué, il sait déjà marcher en laisse, au pied !

D. et S. Simon

LES COUSINS

Le Chihuahua, d'origine mexicaine, a un compatriote, un chien charmant, doté d'un nom compliqué : Xoloitzcuintle (que nous appelons Chien Mexicain à Peau Nue). Le « Xolo » — c'est son diminutif usuel et commode — est le plus nu des chiens nus : il a tout au plus un peu de crin sur le dessus du crâne et au bout de la queue. Sa peau est généralement de couleur foncée (bronze, gris éléphant, gris foncé, noire), bien que des taches plus claires ou roses soient admissibles. On connaît en France, où la race est encore très rare, des sujets de taille moyenne, mais le nouveau standard précise qu'il existe deux variétés : l'une mesure de 25 à 33 cm, l'autre a une taille comprise entre 33 et 56 cm.

Le Xolo est sans doute issu du Pelon, ce chien fort répandu au milieu du XIXe siècle à la frontière entre le Mexique et les États-Unis, où les touristes américains l'achetaient aux paysans mexicains (auxquels le chien doit son nom). Le Pelon n'est pas reconnu par les instances cynophiles officielles, sauf celles du Canada. Le Chihuahua doit probablement quelque chose aux chiens nus, en particulier au Xolo. Signalons, pour l'anecdote, que quelques éleveurs américains tentent de sélectionner un Chihuahua sans poil.

Xolo et Chihuahua revendiquent tous deux d'avoir été les chiens sacrés des Aztèques, et plus précisément l'image du dieu de la mort Xolotl. La dénomination même du chien nu mexicain semble plaider en faveur d'une si prestigieuse origine, mais les éléments archéologiques dont on dispose actuellement ne permettent pas de l'affirmer.

Le Chihuahua est si singulier qu'il semble difficile de le rapprocher de beaucoup d'autres races. On peut tout de même trouver quelques similitudes entre la variété à poil long et l'Épagneul papillon, une variété de l'Épagneul Nain Continental aussi française qu'ancienne, puisqu'on retrouve ses ancêtres auprès des rois et seigneurs de la Renaissance. C'est un petit chien finement mais bien bâti, à la fourrure vaporeuse — sans sous-poil — et ondée, dont les larges oreilles dressées, bien couvertes en poils longs, et la liste blanche allant du nez à l'occiput font penser à la silhouette d'un papillon. Le standard mentionne, chose rare, un poids minimal (1,5 kg) pour éviter une miniaturisation exagérée. De fait, c'est un chien beaucoup plus robuste que sa délicate apparence ne le laisse supposer. Il mériterait d'être plus répandu.

Parmi les races à poil ras offrant une vague ressemblance avec le Chihuahua, on peut citer le Terrier Toy anglais, appelé autrefois Manchester-Terrier, et grand chasseur de rats. Divers croisements pratiqués pour le nanifier lui ont causé un grand et durable tort. Aujourd'hui, Anglais et Américains (ces derniers ont conservé son ancienne dénomination) lui ont insufflé une nouvelle vigueur, en sélectionnant des lignées d'une taille de 25 à 30 cm et d'un poids de 3 kg environ — donc en évitant de perpétuer les erreurs du passé.

Il est d'autres races de très petit gabarit, mais dont l'aspect est nettement éloigné de celui du Chihuahua ; on peut ainsi noter le Spitz nain et le Yorkshire-Terrier, dont certains spécimens pèsent environ 1 kg. Le Pinscher Nain, aux oreilles et à la queue taillées, rouge ou noir et feu, très compact, athlétique, est un peu plus grand et fort.

CHOW-CHOW

LE MAÎTRE IDÉAL

Le Chow-Chow, étant doté d'une forte personnalité, a besoin d'un maître ayant aussi
du caractère. Inutile de dire qu'il fera mauvais ménage tant avec les personnes
velléitaires qu'avec les autoritaires. Pour être réussie, son éducation est à entreprendre
dès sa prime enfance, et doit se dérouler dans une ambiance détendue
et sympathique. Retenez que les cris et la brutalité ne servent à rien avec lui.
Seules la patience et la fermeté porteront leurs fruits.

D. et S. Simon.

Portrait du Chow-Chow

GROUPE
cinquième

SECTION
spitz asiatiques et races apparentées

HAUTEUR AU GARROT
mâles : de 48 à 56 cm ;
femelles : de 46 à 51 cm

POIDS
de 25 à 30 kg

ROBE
unicolore (mais souvent nuancée), noire, bleue, rouge,
fauve, crème, blanche

POIL
à poil court ou à poil long

DIFFUSION
4 500 sujets environ en France

DURÉE DE VIE MOYENNE
douze ans

CARACTÈRE
fier, distant, indépendant, mais capable d'un grand
attachement à ses maîtres

RAPPORTS AVEC LES ENFANTS
assez bons

RAPPORTS AVEC LES AUTRES CHIENS
moyens

RAPPORTS AVEC LES AUTRES ANIMAUX
fondés sur l'éducation

RAPPORTS AVEC LES CHATS
fondés sur l'éducation

APTITUDES
chien de compagnie ; apte à la garde

ESPACE VITAL
peut vivre en appartement s'il bénéficie d'exercice régulier

ALIMENTATION
450 g environ d'aliment sec complet ; penser éventuellement
à un complément spécial pour la beauté du pelage

TOILETTAGE
brossages quotidiens, toilettage au peigne lors des mues,
bains

PRIX D'ACHAT
✳✳✳

COÛT D'ENTRETIEN
moyen

ORIGINE ET HISTOIRE

Apparenté à la famille des Spitz et des chiens nordiques répandus dans les contrées septentrionales de l'Amérique, de l'Europe et de l'Asie, le Chow-Chow ne manque pas de personnalité, ne serait-ce que par sa silhouette très caractéristique qui en fait l'un des représentants les plus originaux de la gent canine. Certains auteurs ont d'ailleurs voulu voir dans le « Chow » (c'est ainsi que le nomment ses amateurs, en prononçant « tcho ») un rameau particulier de l'espèce canine, en se référant à ses nombreuses et curieuses particularités (langue bleu-noir, prolongements importants des os latéraux du crâne, membres postérieurs droits), ainsi qu'à certaines constantes biologiques singulières, relevées par le docteur Fernand Méry (un des inconditionnels de la race) : température interne souvent légèrement supérieure à la norme (39 °C), taux d'urée inférieur de 50 % à celui des autres chiens, suc gastrique plus acide...

Cette originalité, qui va au-delà des différences habituellement notées entre les races de chiens, a conduit Pierre Étienne, ancien président du Club français de la race, à envisager une hypothèse hardie : « Race, écrit-il, ou espèce ? Il y a plus de différence entre un Chow-Chow et un chien nordique qu'entre un loup et un Berger Allemand, pourtant classés dans des espèces différentes. Ils ont malgré tout le même nombre de chromosomes, la même formule dentaire, sont interféconds, ont un aspect très semblable. Le Chow a tout cela en commun avec les Spitz, sauf l'aspect et ses

D. R.

QUESTION DE PERSONNALITÉ

Tel chien, tel maître. Cet adage est fréquemment illustré par le Chow, dont le comportement si particulier est susceptible d'attirer des maîtres à la personnalité hors du commun — et souvent complexe, pour le moins, comme c'était le cas de Sigmund Freud, le fondateur de la psychanalyse, dont le Chow était le chien favori et qu'une photo assez célèbre montre dans son cabinet de travail, se détournant de son bureau pour se pencher vers son vieux Chow.

Le père de l'éthologie, l'éminent savant Konrad Lorenz, se déclare séduit par le caractère un peu fantasque et sauvage de la race, au point qu'il a imaginé à son intention une théorie sur l'origine du chien, visant à expliquer les comportements clefs de l'espèce canine. Ce chien partage ainsi avec les fameuses oies du savant le privilège d'avoir fait avancer à grands pas l'éthologie...

Mais le Chow donne aussi l'occasion à Lorenz, qui n'a pas l'habitude de mâcher ses mots, de vilipender l'élevage des chiens de race et les modes canines : « J'ai une mauvaise opinion, écrit-il, de l'élevage moderne avec son obsession de l'esthétique, qui ne tient aucun compte de l'intelligence. Mais la question devient grave lorsque la mode se met à dicter impérativement au chien ce dont il doit avoir l'air [...]. Le Chow-Chow, qui n'est devenu un chien à la mode qu'au cours des vingt dernières années, en offre un exemple remarquable. Dans les années vingt, les Chows étaient des chiens parfaitement naturels, encore très près de leur forme sauvage, museaux pointus, yeux mongols, oreilles étroites et effilées [...]. Pris en charge par un élevage moderne, le Chow-Chow d'aujourd'hui a l'air d'un ourson suralimenté, le museau est plus large et plus court, comme celui d'un dogue, la compression du masque a fait perdre aux yeux leur bel oblique et les oreilles ont presque disparu dans le débordement du pelage. Quant aux qualités mentales, ces animaux fantasques, qui gardaient toujours le souvenir de l'état sauvage, sont devenus aussi imprévisibles que des ours en peluche. » Dans cette charge, il faut évidemment faire la part de la verve polémique du savant... Mais, à travers cette critique radicale et sans doute quelque peu excessive (qui figure dans le célèbre ouvrage *Tous les chiens, tous les chats,* paru en 1950), Lorenz vise surtout l'attention exagérée que certains éleveurs portent aux caractéristiques physiques d'une race, sans se préoccuper de ses qualités mentales. On reconnaît en tout cas, dans le ton passionné de Lorenz, l'intérêt exceptionnel qu'il porte au Chow...

caractères raciaux uniques qui nous rappellent que les ours et les Canidés proviennent d'un ancêtre commun. À partir de cet ancêtre, l'évolution n'a pas été linéaire mais buissonnante. La plupart des rameaux de cette évolution, ''essais'' de la nature, ont été éliminés par la sélection naturelle. Un isolement géographique protecteur a pu en sauver quelques-uns, les laisser évoluer à part et parallèlement à leurs ''cousins''. »

L'isolement de la région qui fut le berceau originel du Chow-Chow pourrait en effet conforter cette idée : à l'extrême est de la Sibérie, enserrée entre les monts bordiers du Sikhot Alin, le grand fleuve Amour et la mer, cette zone, dotée d'un climat fort rigoureux, fut, à l'époque néolithique, peuplée par les Aïnous ; ces hommes singuliers, les seuls en Extrême-Orient à présenter une peau blanche et un système pileux très développé — probablement des Indo-Européens d'après les travaux récents de chercheurs japonais — avaient une religion basée sur le culte des ours ; ils ont été refoulés à l'époque historique sur les îles de Shakhaline et d'Hokkaido. Les Aïnous, qui utilisaient les ancêtres du Chow-Chow à la chasse, à la pêche et à la traction des traîneaux, auraient ainsi préservé l'existence d'une espèce voisine de l'espèce canine.

Cette hypothèse paraît cependant quelque peu hasardée. Comparer les différences et ressemblances entre loup et Berger Allemand, d'une part, Spitz et Chow-Chow, d'autre part, n'est pas très convaincant, si l'on veut en déduire l'appartenance du Chow-Chow à une espèce particulière.

Certes, les races canines, aux origines souvent anciennes, présentent de telles différences dans leurs multiples caractéristiques (morphologie, taille, poids, poil, couleur...) qu'on peut être tenté de penser que plusieurs espèces de Canidés interféconds sont intervenues dans leur création. Mais, actuellement, aucun élément archéologique ou paléontologique ne vient confirmer de telles suppositions.

Pour expliquer les différences du Chow avec les autres chiens nordiques, on peut songer à des apports, anciens, de molossoïdes. Du type, par exemple, de ces chiens de garde mongols avec lesquels les Chinois eux-mêmes peuvent confondre les Chow-Chows, comme le révèle cette anecdote rapportée par P. Étienne : un éleveur français, désirant il y a quelques années importer diverses races canines chinoises, s'adressa à l'ambassade de Chine populaire à Paris, en fournissant des photos de Chow ; on lui répondit : « Cette race de chien ressemble fort aux chiens de garde des troupeaux élevés sur les pâturages de la région autonome de Mongolie intérieure. Comme ils sont considérés comme des perles rares, les gardiens de troupeaux ne veulent généralement pas les vendre. »

Ces chiens de garde mongols sont peu connus. Les photographies prises par une expédition américaine, menée en 1952 dans cette région très isolée, permettent de comprendre que les autorités chinoises, ne disposant pas d'échelle pour apprécier la taille des Chow-Chows, aient pu confondre les uns et les autres. Le chien de berger mongol est en effet entièrement noir, avec un poil très fourni et la queue sur le dos ; de morphologie très solide, c'est à l'évidence un molossoïde, mais il ne semble pas très lourd. Il fait partie de la famille des Dogues du Tibet — qui, nous le savons mieux aujourd'hui, ne se réduisent pas à un seul

G. Lacz

modèle de chien mais offrent au contraire un éventail de types assez différents. Le Chow pourrait être redevable au berger mongol de certains caractères ; par exemple, ses membres postérieurs dépourvus d'angulation visible, qui sont chez lui une caractéristique raciale, constituent un défaut particulièrement fréquent chez les chiens de montagne, auxquels appartient le chien mongol. Nous ne savons pas, en revanche, si ce dernier possède ou non une langue bleu-noir — son extrême sauvagerie, et même sa férocité, n'ayant pas

permis aux scientifiques américains d'aller vérifier de près ce détail...

L'évolution historique plaide en faveur d'une rencontre entre les ancêtres du Chow-Chow et les chiens mongols. En effet, le territoire initialement occupé par les Aïnous fut, ensuite, envahi par divers peuples nomades et guerriers — Huns, Tartares, Mongols — qui avaient tous à leur service des auxiliaires canins féroces, de forte taille ; ces peuples, qui ont commencé de s'étendre vers l'est avant de déferler en hordes successives sur l'Occident, ont rencontré sur leur route les Aïnous ; ainsi ont pu se croiser les molosses des nomades et les chiens nordiques des Aïnous.

En fait, en raison de l'isolement imposé à la Chine par les empereurs mandchous pendant trois siècles, on ignore quelle place ont pu tenir les chiens entre le IIe siècle avant J.-C., au cours duquel le *Livre des rites*

Ce Chow-Chow a fière allure avec sa crinière de lion. Son secret : un démêlage quotidien avec un peigne métallique et un bain tous les six mois. Ses yeux, aussi, doivent être nettoyés chaque semaine.

le lot commun de beaucoup de chiens en Chine et en diverses régions d'Indonésie et d'Extrême-Orient — coutume encore en usage aujourd'hui ; le Chow devait cependant être plus apprécié que les autres, car il faisait l'objet d'un élevage intensif, à des fins ouvertement culinaires.

Le Chow-Chow était également l'un des chiens de garde utilisés en Chine. L'aristocratie Ts'ing possédait en effet, en plus des chiens de manchon tels que le Pékinois, d'autres chiens tout aussi singuliers, mais de plus grande taille et servant à la garde. C'est ce qu'a confirmé la découverte du Shar-Peï par les Américains. Ce chien original, qui possède certaines caractéristiques du Chow-Chow (une langue pigmentée de noir et des jarrets droits), a pu, malgré la dissolution de la société traditionnelle, être élevé à l'insu des Occidentaux jusqu'au début des années soixante-dix. Son statut de chien de combat, qui a permis le maintien de la race, était aussi celui du Chow-Chow. Des élevages traditionnels de Chow-Chows, conçus pour le combat, existaient d'ailleurs encore en Chine au siècle dernier.

Ce rappel historique permet de mettre en doute une opinion aussi répandue qu'inexacte, selon laquelle le Chow n'aurait été, en Chine, qu'un chien très commun, destiné seulement à alimenter l'étal des bouchers. En effet, la race a bien évolué aux mains des éleveurs anglais au XXe siècle, mais elle n'en possédait pas moins auparavant toutes ses caractéristiques originales (et originelles). Il est donc erroné d'affirmer, comme le font certains, que le « Chow moderne est essentiellement une création occidentale ». Certes, grâce à la sélection britannique, il est devenu plus compact, sa fourrure a acquis plus de luxuriance, son museau s'est élargi, son front s'est plissé et le *scowl* (froncement rébarbatif des sourcils) a été développé ; mais cette évolution n'a fait qu'accentuer certains traits préexistants, sans modifier profondément la silhouette du chien. Ainsi, on sait que le premier couple ramené, en 1780, par un officier de la Compagnie des Indes orientales ne se composait pas de Spitz ordinaires.

L'élevage du Chow a mis évidemment du temps a se développer, car l'Empire céleste ne fut réellement ouvert aux Occidentaux que dans la seconde moitié du siècle dernier. Cependant, l'allure singulière des premiers sujets attira déjà l'attention : vers 1820, un article paru dans la presse anglaise indique qu'un Chow figure parmi les raretés ramenées à grand-peine de Chine, et, à la même époque, des spécimens de la race sont exposés à la curiosité du public du jardin zoologique de Londres.

C'est en 1880 qu'eut lieu la véritable entrée du Chow-Chow sur la scène de la cynophilie officielle : un sujet nommé Chinese Puzzle fut exposé au Crystal Palace. Un autre devait faire grande impression, dix ans plus tard, à l'exposition de Brighton. La race était encore, à l'évidence, fort rare en Angleterre, et les premiers Chows ne furent inscrits par le Kennel Club qu'en 1894.

Le standard rédigé alors par le premier club de la race (fondé en 1895) reposait sur la description fidèle du champion Chow VIII, un mâle rouge directement importé de Chine. Depuis, un nouveau standard, comportant des modifications essentielles par rapport au précédent, a été corrigé et diffusé par la FCI.

annonce l'arrivée du « chien tartare », et le XIXe siècle. Toutefois, dans les caractères primitifs de l'écriture chinoise figure le signe du chien, preuve que cet animal, même s'il n'était pas originaire de Chine, y fut introduit très tôt ; l'ancêtre du Chow-Chow, que le docteur Méry considère comme l'« un des plus directs descendants du chien des tourbières et des cavernes », fut bien le compagnon des empereurs mandchous et de l'aristocratie. Mais ce chien semble avoir connu ensuite un sort moins enviable : au XIXe siècle, il est devenu assurément un mets répandu (le nom de « chow » provient du cantonais, par l'intermédiaire du pidgin anglais, et signifie vraisemblablement nourriture ; on sait par ailleurs que la langue bleue de ce chien était un critère de comestibilité…).

Cette pratique, qui heurte évidemment nos mœurs, ne doit pas être considérée comme exceptionnelle : le Chow-Chow était loin, en effet, d'être le seul chien destiné à finir en marinade, puisque c'était au contraire

STANDARD DU CHOW-CHOW

ASPECT GÉNÉRAL

Chien actif, compact, au rein court, avant tout bien proportionné, d'aspect léonin, au port digne et fier, bien charpenté. La queue est portée nettement sur le dos...

CARACTÉRISTIQUES

Chien calme, bon gardien; langue bleu-noir; unique par sa démarche guindée.

TEMPÉRAMENT

Indépendant, fidèle mais distant.

TÊTE ET CRÂNE

Crâne plat et large. Le stop n'est pas prononcé. Bien rempli sous les yeux. Museau de longueur modérée, large des yeux jusqu'à l'extrémité (et non pas pointu comme chez le renard). La truffe est grosse, large, dans tous les cas noire, sauf chez les crème et les presque blancs, pour lesquels la truffe de couleur claire est admise, et chez les bleus et les fauves pour lesquels on admet une truffe de la même couleur uniforme que celle de la robe. *Yeux :* foncés, en amande, assez petits et nets; chez les bleus et les fauves, on admet des yeux de la couleur de la robe; œil net, exempt d'entropion et qui ne doit jamais être pénalisé pour les seuls problèmes de dimensions. *Oreilles :* petites, épaisses, légèrement arrondies à l'extrémité, portées droites, rigides et bien écartées, pointant bien vers l'avant au-dessus des yeux et légèrement convergentes, ce qui donne au chien l'expression caractéristique de la race, le *scowl* (mine renfrognée par froncement des traits); cette expression ne doit jamais être le résultat du relâchement et des plis de la peau du front. *Bouche :* les dents sont fortes et bien rangées; les mâchoires sont fortes et présentent un articulé en ciseaux parfait, régulier et complet, c'est-à-dire que les incisives supérieures recouvrent les inférieures dans un contact étroit et sont implantées bien d'équerre par rapport aux mâchoires; la langue est bleu-noir, de même que les lèvres et le palais. Les gencives sont, de préférence, noires.

COU

Fort, plein, pas trop court, bien attaché aux épaules et légèrement roué.

AVANT-MAIN

Les épaules sont musclées et obliques. Les membres antérieurs sont parfaitement droits, de longueur modérée; ils ont une bonne assature.

CORPS

Poitrine large et bien descendue. Les côtes sont bien cintrées mais pas en cercles de tonneau. Dos court, horizontal et fort; rein puissant.

ARRIÈRE-MAIN

Membres postérieurs musclés; jarrets bien descendus avec un minimum d'angulation, ce qui est essentiel pour produire la démarche guindée caractéristique du Chow-Chow. Le canon métatarsien tombe d'aplomb, le jarret ne fléchissant jamais vers l'avant.

PIEDS

Petits, ronds, pieds de chat, à l'aplomb sur les doigts.

QUEUE

Attachée haut et portée bien sur le dos.

ALLURES, MOUVEMENT

Démarche courte et guindée. Antérieurs et postérieurs se déplaçant droit devant dans des plans parallèles.

POIL

Le poil est soit long, soit court.
• *Poil long :* poil très abondant, dense, droit et écarté; le poil de couverture est de texture plutôt rude, avec un sous-poil doux et laineux; le poil est particulièrement épais autour du cou où il forme une crinière ou une collerette; il forme de bonnes culottes à l'arrière des cuisses.
• *Poil court :* abondant, dense, droit; il n'est pas plat, mais se redresse; pelucheux de texture.

Tout raccourcissement artificiel du poil modifiant la silhouette naturelle ou l'expression du Chow-Chow sera pénalisé.

COULEUR

Robe unicolore noire, rouge, bleue, fauve, crème ou blanche, fréquemment nuancée mais non tachée ni pluricolore (le dessous de la queue et la région postérieure des cuisses sont fréquemment de couleur plus claire).

HAUTEUR AU GARROT

Mâle : de 48 à 56 cm; femelle : de 46 à 51 cm.

DÉFAUTS

Tout écart par rapport à ce qui précède doit être considéré comme un défaut qui sera pénalisé en fonction de sa gravité.

(D'après le standard n° 205 du 7 juin 1988. Les points de non-confirmation sont à l'étude et vont être proposés prochainement à la Commission zootechnique de la SCC.)

G. Lacz

En France, les premiers Chow-Chows ont sans doute été importés à la fin du XIXe siècle. On apprend en effet, dans un exemplaire du magazine *La Vie heureuse* daté de 1903, que la comtesse de Cholet possédait un « équipage » de Chow-Chows et que, parmi eux, Général Simon — un Chow-Chow né le 16 septembre 1898 — avait été sacré champion en 1902. Cet article montrait d'ailleurs, au passage, que les Français ne possédaient pas alors de renseignements très précis sur le Chow-Chow, puisque l'auteur de l'article lui attribue des origines laotiennes (alors qu'à cette époque, en Extrême-Orient, le Chow était appelé significativement chien de Hong-Kong).

C'est seulement en 1924 que, à l'initiative de Mme Mareschal, fut créé un club français de la race, qui resta modeste, ne comptant pas plus d'une vingtaine de membres en 1926. Cette association ayant disparu dans la tourmente de la dernière guerre, Mme Y. Diot reprit le flambeau, en créant le club, qui, sous sa dénomination actuelle, Chow-Chow Club français, est toujours responsable de la destinée de ce chien. Un club particulièrement motivé, même si la race ne connaît pas encore une très large expansion ; comptant un millier de membres en 1973, il en avait 1 500 dix ans plus tard, soit près de la moitié des propriétaires français de Chows (dont les 20 ou 30 principaux éleveurs de la race).

COMPORTEMENT

Pour comprendre le comportement d'une race, il est important de connaître ses fonctions au cours de l'histoire. Le Chow-Chow, aujourd'hui chien de compagnie et qui, au siècle dernier, n'était plus élevé en Chine que pour sa fourrure et sa viande, a été pendant bien longtemps, auparavant, utilisé à d'autres fins. Chien de garde des palais et demeures seigneuriales, il était aussi chasseur (particulièrement apprécié en Asie septentrionale, pour la chasse à la zibeline). Les Japonais, qui, fort heureusement, ont sauvé certaines de leurs races apparentées au Chow-Chow, indiquent que ces chiens étaient essentiellement des chiens de chasse, capables de pister et d'encercler le gros gibier. Certains Chows actuels montreraient encore, occasionnellement, un atavisme réel de chasseur…

Était-il chien de traîneau ? J. Dhers en doute fort : « On l'a dit utilisé comme chien de trait : s'il s'agit d'attelages de fantaisie, c'est parfaitement exact, mais si on fait allusion à un véritable service de trait, à un travail effectif, ceci me paraît douteux, non seulement parce que ce chien manque de vitesse, mais surtout en raison de ses jarrets droits et souvent même renversés qui le prédisposent fort peu à la traction. »

F. Méry est d'un avis exactement contraire : « Deux fois par an, assure-t-il, partis des frontières enneigées de Mandchourie, nombre de Chows attelés transportaient jusqu'aux grandes agglomérations les humbles marchandises de quelque colporteur lointain… »

P. Étienne confirme, de son côté, que la morphologie du Chow lui permet de tirer des traîneaux : « La conformation particulière de ses postérieurs, son avant-main massive (tête, cou, épaules) qui pèse sur le harnais le rendent éminemment apte à la traction des traîneaux avec une action puissante et sans à-coups. Des tentatives récentes et réussies ont été faites à Berlin et par des éleveurs suédois. »

Quoi qu'il en soit, la vocation actuelle du Chow-Chow n'est pas d'être une « locomotive des neiges », mais bien un chien de compagnie et de garde. Si l'on doute de cette dernière aptitude, il suffit de rappeler sa méfiance atavique, son indiscutable courage et son stoïcisme devant la douleur. Pour dissuader l'intrus, sa taille moyenne est compensée par son volume (on ne saurait le confondre avec un petit chien), et, s'il n'aboie pas, ses avertissements n'en sont que plus significatifs et dignes d'être pris en considération…

Plus d'ailleurs que son utilité pour telle ou telle mission, c'est sa personnalité hors du commun qui le rend passionnant et attachant. On entend dire quelquefois que ce chien aux allures de lion serait plutôt devenu aujourd'hui un placide ourson. Certes, l'homme a pu agir sur son apparence, mais il n'a que bien peu modifié son tempérament. Le Chow a gardé une assurance et une fierté tout à fait léonines. Il possède toujours ce côté asiate, fait d'impassibilité, de fausse indifférence ; son affection, très réelle et profonde, reste peu démonstrative. Son goût de l'indépendance est bien ancré. Généralement très calme, il n'en est pas moins capable de vives réactions, et ses réflexes peuvent être, s'il le faut, très rapides.

Bien sûr, le Chow ne contentera pas les maîtres qui réclament de nombreuses et débordantes manifestations de tendresse, pas plus qu'il ne comblera ceux qui veulent assouvir un besoin maniaque d'autoritarisme ; ce chien pas très maniable est à déconseiller également aux personnes trop débonnaires, qu'il pourrait rendre quelque peu esclaves, en les obligeant sans cesse à composer avec lui.

LE CHOW-CHOW EN CHIFFRES

En France, le Chow-Chow, qui n'est plus un chien rare, n'est pourtant pas encore véritablement populaire ; mais il est apprécié par des fidèles (certains d'entre eux sont même des inconditionnels), dont le nombre a tendance à s'étoffer avec les années.

Le Livre des origines français dénombrait 258 inscriptions en 1970 puis 431 dix ans plus tard, pour arriver à 577 en 1987. Une analyse plus fine de la courbe des naissances, sur près de vingt ans, permet de constater successivement un développement de l'élevage vers 1975, puis un léger tassement au début des années quatre-vingt et, enfin, un nouvel accroissement à partir de 1985. La population totale représente environ 4 500 sujets dans notre pays.

Les effectifs sont sensiblement plus importants en Grande-Bretagne, bien qu'on constate une baisse régulière depuis une dizaine d'années. Ainsi, le Kennel Club enregistrait 1 502 naissances en 1980, mais seulement 977 en 1985 et 773 en 1987. Malgré tout, la population de Chow-Chows doit dépasser, en Grande-Bretagne, 10 000 sujets.

Ce chiffre, relativement important, ne représente pourtant qu'un quart des inscriptions, en une seule année, aux États-Unis ! En 1986, en effet, l'American Kennel Club a comptabilisé 43 026 naissances, ce qui place la race au 8e rang dans le box-office des races canines aux États-Unis. Le nombre des inscriptions est d'ailleurs en constante augmentation : il a doublé en l'espace de cinq ans. Il est probable qu'il y a plus de 200 000 Chow-Chows outre-Atlantique.

Signalons enfin que la race est bien connue dans tous les pays cynophiles d'Europe — Belgique, Hollande, Allemagne, Suisse, Italie —, tandis qu'elle commence à se développer en Espagne.

Le Chow-Chow (ici, un fauve et un bleu), doté d'une vaste cage thoracique, est très résistant. Mais sa fourrure abondante et son museau assez court sont des handicaps qui le desservent pendant les fortes chaleurs.

Mais c'est justement ce tempérament indépendant, distant, altier, que d'aucuns aiment comparer à celui du lion, du chat ou de l'ours, qui fascine. À son physique débonnaire correspond un caractère très différent : avant d'obéir, il prend le temps de la réflexion ; il ne faut pas le brusquer — encore moins le brutaliser, car il n'est pas chien à pardonner ce genre de bévue. Ce qui ne signifie pas, bien sûr, qu'il faille s'extasier constamment sur sa désobéissance native… On doit au contraire l'éduquer très précocement, dès l'âge de trois mois (même avant si possible), avec douceur, compréhension, patience, mais toujours fermement. Sa vive intelligence, son étonnante mémoire lui permettent d'assimiler facilement le rappel, le coucher,

c'est-à-dire les ordres de base que doit comprendre et respecter tout représentant de la gent canine.

Avec ce chien, il faut jouer avant tout la carte de la confiance. Par exemple, l'habitude prise très tôt de toiletter régulièrement sa fourrure — bien avant qu'elle n'atteigne toute sa splendeur — peut favoriser des relations de complicité, qui ne sont pas incompatibles avec une personnalité fortement marquée : un Chow ne se montrera jamais servile ; il se donnera lentement, certes, mais totalement, au point de fort mal supporter une séparation d'avec son maître. « C'est le chien de ceux qui dédaignent les conquêtes trop faciles », a-t-on pu dire très justement ; ou, pour reprendre la boutade du docteur F. Méry, « si vous voulez un chien, ne prenez pas un Chow-Chow ». Mais une vie commune de dix ans et plus avec un Chow s'oublie difficilement, et très peu de maîtres de Chows changent de race.

À ceux qui veulent entrer dans l'univers chow, il est conseillé, pour la première expérience, de se laisser guider par une femelle, plus douce et plus obéis-

LES COUSINS

Le Chow-Chow appartient à une bien ancienne famille, celle des Spitz, dont on a retrouvé des squelettes et des représentations sur des sites néolithiques, au Sahara, en Europe du Nord et en Asie.

Parmi les Spitz européens, le plus grand (de 45 à 55 cm) est le Spitz-loup, variété de Spitz Allemand. Chien de garde très sûr, ne mordant jamais et cependant très vigilant, il possède de grandes qualités de vivacité et de gentillesse, ainsi qu'un goût prononcé du jeu, qui ravit les enfants. Grâce à sa fourrure très spectaculaire, très fournie et de couleur gris argenté, il ne passe pas inaperçu. Une double dénomination a sans doute desservi sa diffusion. D'abord appelé Keeshond, d'après un héros national hollandais, il a conservé cette appellation dans les pays anglo-saxons, alors qu'il était intégré aux Spitz par la cynophilie allemande.

Le Spitz-loup fut croisé au Chow-Chow pour créer une nouvelle race, l'Eurasier, reconnue en 1973. Un nom qui rappelle clairement les buts de ses promoteurs — inspirés par les théories du professeur Konrad Lorenz —, à savoir allier les qualités des Spitz asiatiques à celles de leurs homologues européens. Le directeur de l'institut Max-Planck, prix Nobel, pensait en effet que le Chow-Chow était la race la plus proche d'un ancêtre loup, alors que les autres chiens, dont le Spitz-loup, possédaient des caractéristiques qui les apparentaient plutôt à un ancêtre chacal. Depuis, Lorenz a abandonné l'hypothèse d'une double ascendance (loup-chacal) de l'espèce canine, mais il a continué de distinguer deux comportements canins fondamentaux : l'un correspondant aux qualités habituellement reconnues aux chiens — fidélité, adaptabilité, obéissance —, l'autre caractérisant des chiens distants, indépendants, imprévisibles.

L'Eurasier est donc en quelque sorte la matérialisation d'une théorie scientifique, puisqu'il résulte de la sélection faite à partir de la descendance d'un mâle Chow-Chow accouplé à une femelle Spitz-loup. L'union des contraires, pour ainsi dire... L'entreprise est-elle une réussite complète? Les cynophiles ne sont pas unanimes sur cette question. Mais chacun s'accorde à reconnaître à l'Eurasier son adaptation à la société moderne, du fait de son calme, de sa sociabilité et de son équilibre caractériel. D'une taille moyenne comprise entre 50 et 60 cm, il est pourvu d'un poil mi-long, de teintes variant du jaune pâle au rouge, accompagnées souvent de charbonnures et d'un masque noir, ou alors entièrement gris-noir.

Dans le cinquième groupe de la nouvelle nomenclature canine, regroupant les chiens de type spitz et ceux de type primitif, on peut penser que les Spitz japonais ont quelques affinités avec le Chow-Chow. Ils sont groupés en sept races, définies dans les années vingt et officiellement « protégées » entre 1931 et 1937; mais très peu sont effectivement connues en Occident. À l'attention des amateurs de raretés et des encyclopédistes canins, elles sont ici rapidement passées en revue (on peut obtenir des renseignements plus approfondis en écrivant — en français — au docteur Kotoba Baba, Baba Zoogical Foundation, Zama P.O. Box n° 17, Kanagawa-Ken 228, Japon).

Parmi les inconnus, on trouve en premier lieu l'Hokkaido, dit aussi chien des Aïnous — un nom qui indique nettement une certaine parenté avec le Chow-Chow, dont il serait même l'un des ancêtres. De taille moyenne (de 48,5 à 51,5 cm pour le mâle, de 45,5 à 48,5 cm pour la femelle), l'Hokkaido est traditionnellement utilisé par les Aïnous pour la chasse à l'ours : il n'hésite pas, en effet, à s'attaquer à des adversaires de 300 kilos! Il chasse aussi divers gros gibiers, sert à la garde et enfin — ce qui est plus original — est utilisé à la pêche (il plonge et attrape les saumons qui remontent les cours d'eau pour frayer). Sa morphologie est plus compacte que celle des Spitz européens, et son poil est très dense mais court, de coloris unis, roux, blanc, sésame (beige), noir, ou encore bringé.

Les autres races japonaises sont également, à l'origine, des chiens de chasse et de garde, de taille à peu près similaire, à poil court, dans la même gamme de coloris. Ils sont devenus essentiellement des chiens de compagnie. On distingue le Kai, originaire du centre du Japon et toujours bringé; le Kishu, souvent blanc, qui vient du Sud-Ouest nippon; le Shikoku, réputé être la race la moins ancienne des chiens nordiques japonais. Il y a en France quelques Shiba, des chiens de petite taille (de 35 à 41 cm), provenant du sud-ouest du Japon. Mais on connaît surtout chez nous le grand et fort Akita Inu, dont la taille peut atteindre 70 cm et que les Américains ont adopté (et adapté); il s'éloigne sensiblement du Chow-Chow. Il en va de même du Spitz Japonais (autrement dit, du Nihon Supittsu), qui ressemble fort à notre Spitz moyen (sa taille est comprise entre 31 et 38 cm) et porte une robe toujours blanche. Il a, comme toutes les races japonaises, les yeux bridés!

sante. Ce choix est particulièrement recommandé dans une maison où il y a des enfants, avec lesquels le Chow-Chow peut s'entendre parfaitement, à condition qu'ils n'aient pas trop tendance à le prendre pour une peluche. Si le mâle n'a pas toujours un goût marqué pour le jeu (il a souvent horreur du tintamarre et des éclats de voix), la femelle sait se montrer maternelle.

Le Chow manifeste généralement une superbe indifférence envers ses congénères; en revanche, ces derniers ne le trouvent pas toujours très sympathique et sont tentés de le lui faire savoir; on risque alors l'incident, car le Chow n'est pas de ceux qui reculent.

En ce qui concerne la couleur du pelage, le futur acquéreur a le choix entre six coloris, plus ou moins répandus : le fauve, qui prédomine (à plus de 70 %), puis le noir et le rouge (10 % chacun), le bleu (5 %), le crème (2 %), la couleur blanche étant rarissime. Il existe une variété à poil court, qui a connu un certain regain d'intérêt mais reste rare.

Quant aux détails pratiques de la vie quotidienne, le Chow sera très à l'aise, pour dormir, sur le carrelage d'une cuisine ou d'une salle de bains. Pour les promenades, le port du harnais n'est pas à recommander, bien qu'il soit très répandu, car il est source d'effets pervers dans les épaules.

La démarche courte et guindée est très caractéristique du Chow-Chow, la queue portée sur le dos, également.

G. Lacz

CIRNECO DE L'ETNA

LE MAÎTRE IDÉAL

Le Cirneco de l'Etna réclame un maître dynamique et enjoué, apte à prendre de l'exercice avec lui. Un complice donc. Ce fils des savanes africaines s'adapte à tous les types d'habitat, y compris en milieu urbain. S'il est calme dans l'intimité, il se montre vif et débordant d'énergie en balade, aussi il convient de lui apprendre le savoir-vivre canin de manière douce, régulière et progressive.
N'étant pas d'un naturel désobéissant ou fugueur, il s'éduque sans aucun problème.

D. et S. Simon.

Portrait du Cirneco de l'Etna

GROUPE
cinquième, Chiens de type Spitz et de type primitif, dans la nomenclature FCI de 1990 (dixième, Lévriers et races apparentées, dans celle de 1987)

SECTION
chiens de type primitif

HAUTEUR AU GARROT
de 44 à 46 cm environ

POIDS
10 kg environ

ROBE
fauve ; fauve à marques blanches

POIL
ras ou demi-long selon les endroits

DIFFUSION
une soixantaine de sujets en France

DURÉE DE VIE MOYENNE
douze ans

CARACTÈRE
calme, vif, amical, un peu indépendant

RAPPORTS AVEC LES ENFANTS
très bons

RAPPORTS AVEC LES AUTRES CHIENS
bons

RAPPORTS AVEC LES AUTRES ANIMAUX
fondés sur l'habitude

RAPPORTS AVEC LES CHATS
fondés sur l'habitude

APTITUDES
chien de garenne ; chien de compagnie

ESPACE VITAL
s'adapte à la vie en appartement s'il bénéficie d'exercice régulier

ALIMENTATION
240 g d'aliment complet sec par jour

TOILETTAGE
nul

PRIX D'ACHAT
✹✹

COUT D'ENTRETIEN
faible

ORIGINE ET HISTOIRE

Arrivé en Sicile il y a plusieurs milliers d'années, en provenance d'Afrique, le Cirneco de l'Etna est un des représentants de la plus ancienne forme de Lévrier connue, dont le berceau fut la steppe africaine. S'il n'est pas sûr que le Canidé que l'on voit, il y a 9 000 ans, accompagnant un chasseur sur une gravure rupestre de l'oued Djerat, au tassili des Ajjer, soit effectivement un Lévrier à oreilles droites, d'autres gravures trouvées dans ce massif montagneux du centre du Sahara et datées du VIe au IIIe millénaires sont des preuves indiscutables de la très grande antiquité de ce chien à la silhouette svelte, aux oreilles droites et à la queue enroulée (ou en cimeterre).

Les Égyptiens ont connu et utilisé ce chien : un bas-relief figurant sur un disque en stéatite, trouvé à Memphis et vieux de 6 000 ans, en reproduit avec précision la silhouette. On a souvent rapproché le Lévrier africain, dénommé Tesem par les Égyptologues, du dieu des morts de la mythologie égyptienne, Anubis. À tort, sans doute, car, si le Canidé qui représentait Anubis avait une tête fine, munie de grandes oreilles dressées, son apparence était en fait celle d'un chacal (des bas-reliefs et des fresques montrent sa queue large et touffue). Le Tesem n'en partageait pas moins la vie quotidienne des Égyptiens : de très nombreuses momies, bien étudiées, montrent côte à côte des Lévriers Tesem, des chacals, des chiens pariahs…

CIRNECO DE L'ETNA

Le Tesem a été progressivement supplanté en Égypte, à partir du IIe millénaire avant J.-C., par des Lévriers asiatiques, aux oreilles tombantes, nettement plus véloces. Cependant, grâce aux Phéniciens qui contrôlaient le commerce en Méditerranée, le Lévrier à oreilles droites a pu s'étendre sur tout le pourtour du bassin méditerranéen et dans les îles. Entre le XIVe et le Xe siècle avant J.-C., les Phéniciens établirent des comptoirs à Malte, en Sardaigne, en Sicile, en Espagne et en Afrique du Nord ; une de ces colonies étant devenue célèbre sous le nom de Carthage, dans le courant du dernier millénaire avant l'ère chrétienne, les Lévriers à oreilles droites restèrent associés aux Carthaginois : à Ibiza, par exemple, ils ont la réputation d'avoir été les chiens d'Hannibal.

En fait, la diffusion de ce chien alla de pair avec celle d'un nouveau gibier, originaire de la péninsule Ibérique : le lapin, facile à chasser, très prolifique et sédentaire, à la chair très appréciée, fut en effet, selon l'historien Robert Delort, introduit par les Phéniciens dans toutes les îles méditerranéennes, à partir de l'Espagne, tout en se répandant par ailleurs en Europe et en Afri-

Établi en Sicile dès le IVe siècle avant l'ère chrétienne, le Cirneco de l'Etna s'est révélé un chasseur de lapins des plus efficaces. Chien alerte à l'ossature légère, il montre un dynamisme sans pareil sur les terrains durs et escarpés.

D. et S. Simon

LE CIRNECO EN CHIFFRES

Le Cirneco de l'Etna est aujourd'hui encore totalement inconnu dans les pays anglo-saxons. Bien que reconnue depuis longtemps par la Fédération cynologique internationale, la race n'est guère sortie d'Italie — on peut même dire de Sicile. La France, seule, fait exception : l'élevage du Cirneco s'y est — modestement — établi après 1975, à la suite de son introduction par un passionné. Depuis 1980, le Livre des origines français a enregistré une soixantaine de Cirnecos. Mais il est à noter que, après 23 inscriptions en 1983, il n'y en a eu que 2 en 1986 et aucune en 1987 ; la race n'a donc pas encore véritablement trouvé son public dans notre pays. Il est vrai qu'aucune association n'existe actuellement pour promouvoir le Cirneco. Souhaitons qu'il en soit bientôt autrement !

que. Le Lévrier à oreilles droites, qui ne soutenait pas la comparaison avec les Lévriers asiatiques pour chasser la gazelle et le lièvre, se révélait en revanche imbattable sur le lapin — un gibier qui, plutôt que des sprints de plusieurs centaines de mètres, requiert une extrême vivacité, et qui se poursuit à vue, certes, mais aussi grâce au flair et à l'ouïe (or, il faut savoir que le Lévrier à oreilles droites est doté d'un excellent flair et d'une ouïe très fine).

Le lapin se multiplia dans les îles méditerranéennes, où il trouvait un biotope idéal : terrains très secs, pierreux et accidentés, non peuplés de grands prédateurs sauvages. Il y devint même nuisible. Les Phéniciens n'eurent donc aucun mal à faire le commerce du seul chien capable d'éviter la prolifération excessive du gibier qu'ils avaient eux-mêmes fourni.

Les Phéniciens puis les Carthaginois eurent très tôt des colonies en Sicile, et, grâce à eux, le Cirneco s'y établit au IVe siècle avant J.-C. (des monnaies frappées à son effigie et, selon des sources italiennes, des statues et des gravures sur pierre attestent son ancienneté sur l'île).

L'auteur romain Elien (v. 170-v. 235) rapporte, dans son *De natura animalium,* qu'à Adrano, en Sicile, un temple dédié à une divinité locale était gardé depuis des temps immémoriaux par des Cirnecos, qui savaient, par un don surnaturel, distinguer les dévôts des voleurs sacrilèges, faisant fête aux uns et attaquant les autres. Au Moyen Âge, l'abondance des lapins en Sicile faisait du Cirneco un auxiliaire très précieux. À Brucato, des fouilles récentes ont montré que 40 % de la faune sauvage chassée par l'homme, aux XIIIe et XIVe siècles, étaient des lapins. Les quantités capturées étaient considérables.

Le Cirneco ayant été ainsi, depuis si longtemps, intégré aux paysages et à l'économie de la Sicile, on comprend qu'on ait pu le considérer comme autochtone. Son adaptation aux conditions locales explique peut-être que sa taille (de 42 à 50 cm au garrot) soit inférieure à celle des autres représentants du Lévrier d'Afrique (Podenco : de 60 à 72 cm ; Chien du Pharaon : de 53 à 63,5 cm). Cette taille modeste induit certes une vitesse moindre, mais elle favorise par ailleurs l'aptitude à crocheter (changer de direction), une qualité précieuse pour un chien devant chasser le lapin.

Après la Seconde Guerre mondiale, du fait de sa raréfaction, la cynophilie italienne a commencé à s'intéresser à lui et a rédigé un standard de la race. Si ce chien est à présent bien caractérisé, il reste cependant pratiquement inconnu en dehors de la Sicile et de l'Italie (sauf en France, où un élevage s'est efforcé de le promouvoir), même si les Britanniques s'en sont sans doute servis lorsqu'ils ont sélectionné, pour recréer le Chien du Pharaon, des Lévriers de Malte.

COMPORTEMENT

Depuis longtemps, le Cirneco n'est pas considéré comme un Lévrier, notamment par ses utilisateurs. Avant 1987, la nomenclature des races canines le classait d'ailleurs parmi les chiens courants pour petit gibier (6e groupe). Sa façon de chasser est en effet fort différente de celle du Lévrier, qui poursuit à vue un gibier véloce, comme le lièvre, sur de très vastes étendues découvertes.

STANDARD DU CIRNECO DE L'ETNA

CARACTÈRES GÉNÉRAUX

Chien appartenant au groupe graïoïde (selon la classification de Pierre Mégnin) ; chien de chasse, broussailleur et rapporteur ; d'origine italienne, plus précisément sicilienne. La conformation est celle d'un sub-dolichomorphe, dont le tronc est inscrit dans le carré, harmonique vis-à-vis du format, et légèrement dysharmonique vis-à-vis des profils. Chien alerte, avec une ossature légère ; doté d'un très bon odorat et d'une grande résistance, il est particulièrement utilisé pour la chasse des lapins sauvages dans les terrains durs et escarpés.

TÊTE

Dolichocéphale. La longueur totale de la tête atteint presque 4/10 de la hauteur au garrot. La largeur bizygomatique du crâne ne doit pas être supérieure à la moitié de la longueur totale de la tête. Du point de vue de la longueur, le rapport entre chanfrein et crâne est de 8/10, mais on apprécie davantage les sujets dont le museau est égal à la longueur du crâne. Les directions des axes longitudinaux supérieurs du crâne et du chanfrein sont presque parallèles, légèrement divergentes. Ligne supérieure du chanfrein rectiligne. *Truffe :* volumineuse avec peu de rotondité sur la marge supérieure ; le pigment de la truffe doit être de couleur marron ou carné chez les manteaux fauve, fauve clair, fauve et blanc ; chez les manteaux fauve foncé, le pigment fauve très foncé, presque noir, est admis, mais il ne doit jamais être noir ; vue de profil, la truffe déborde sur la ligne verticale antérieure des lèvres. *Lèvres et museau :* les lèvres supérieures, plutôt minces, se partagent au-dessous de la truffe avec un angle très ouvert, ce qui détermine la formation d'un demi-cercle très large ; les lèvres sont peu développées en hauteur, elles couvrent ainsi à peine les dents de la mandibule. *Mâchoires :* normalement développées, avec arcades dentaires parfaitement correspondantes ; denture saine ; le corps de la mandibule est peu développé et fuyant en arrière. *Dépression fronto-nasale :* elle est très peu accentuée, et, à cause de l'élévation des apophyses frontaux des os nasaux et du peu de développement en haut des apophyses nasaux, elle penche doucement. *Œil :* il est apparemment plutôt petit ; la fente palpébrale est ovale et ne doit pas tout à fait tendre au rond ; les paupières adhèrent bien au bulbe ; le bulbe, bien que de grandeur normale, est plutôt enfoncé ; la position de l'œil est latérale ; la couleur de l'iris est ocre non foncé, ambre, gris, jamais marron ou noisette foncée. *Oreille :* de forme triangulaire ; sa longueur ne doit jamais dépasser la moitié de la longueur totale de la tête ; son insertion doit être bien haute ; l'oreille est portée droite, bien rigide, avec ouverture antérieure ; le cartilage, bien épais, va en s'amincissant beaucoup vers la pointe ; les bords internes des oreilles sont bien rapprochés entre eux, la pointe de l'oreille est étroite et non arrondie et elle a tendance à se renverser en arrière.

COU

Bien arqué au bord supérieur (caractéristique de la race), avec une nette démarcation de la nuque, et bien musclé ; l'insertion du cou sur les épaules est sans aucune démarcation, mais avec une ligne bien harmonieuse. La longueur du cou est égale à la longueur totale de la tête. La région de la gorge est exempte de fanon, et la peau du cou doit être bien adhérente.

MEMBRES ANTÉRIEURS

L'*épaule* est longue et forte, bien libre dans ses mouvements, avec des muscles minces qui doivent paraître nets et bien séparés l'un de l'autre ; les omoplates doivent avoir une longueur égale à 1/3 de la hauteur au garrot et une inclinaison de 55° sur l'horizontale ; les pointes des omoplates doivent être bien rapprochées l'une de l'autre. Le *bras* doit être un peu oblique sur l'horizontale, et sa longueur est la moitié de la hauteur au coude du membre antérieur. L'*avant-bras* présente une ossature mince et une ligne droite verticale ; sa longueur est 1/3 de la hauteur au garrot ; la hauteur au coude du membre antérieur est un peu supérieure à la moitié de la hauteur au garrot. Vus de face, le *carpe* et le *métacarpe* doivent suivre la ligne verticale de l'avant-bras ; ils sont couverts de peau fine, secs ; les métacarpes sont longs. *Pieds* ronds « de chat », à doigts serrés entre eux et arqués, à soles dures pigmentées de la même couleur que les ongles ; les ongles sont forts et recourbés, de couleur marron chez les manteaux fauves ; chez les sujets à manteau fauve et blanc, ils peuvent être de couleur carné rosé tendant au marron, jamais noirs.

CORPS

La longueur du corps est égale à la hauteur au garrot. Le *poitrail* est assez étroit, les muscles pectoraux peu développés, et sa longueur ne doit pas être supérieure à 27 % de la hauteur au garrot. La *poitrine* descend jusqu'au niveau des coudes, elle est profonde et non carénée ; arcs costaux ouverts. *Côtes* peu cerclées, mais pas plates, obliques ; espaces intercostaux larges, les fausses côtes longues, obliques et bien ouvertes. *Dos* long ; garrot élevé sur la ligne du dos et étroit pour le rapprochement des pointes des omoplates ; le profil du dos est étroit. Les lombes se fondent avec le dos, sans démarcation. Le profil du *ventre* remonte du sternum en haut et fait apparaître le ventre sec et rétracté. *Croupe* sèche, robuste mais plate ; sa longueur est égale à 1/3 de la hauteur au garrot ; son inclinaison sur l'horizontale est de 45°, et pourtant la croupe est vallonnée.

QUEUE

Étant donné la dépression de la croupe, la queue est insérée bas. De forme plutôt grosse et uniforme en toute sa longueur. En repos, la queue est portée en cimeterre et, lorsque le chien est attentif, en trompette sur la croupe. Sa longueur dépasse de quelques centimètres la hauteur au coude du membre antérieur.

MEMBRES POSTÉRIEURS

La *cuisse* est longue, large, avec des muscles aplatis et un bord postérieur peu convexe ; sa longueur est égale au tiers de la hauteur au garrot et sa direction est oblique sur l'horizontale. La *jambe* doit être sèche dans toute sa longueur et avec une ossature mince ; la rainure jambière est bien marquée ; son inclinaison est de 55° sur l'horizontale, et pourtant la jambe est inclinée. La distance de la plante du pied à la pointe du *jarret* ne doit pas dépasser 27 % de la hauteur au garrot ; les faces du jarret sont larges ; son angle est serré, étant donné l'inclinaison du tibia. Le *métatarse* est sec, sa longueur est donnée par la hauteur du jarret ; à sa face interne, il ne porte aucun ergot. *Pieds* légèrement ovales et avec toutes les qualités voulues pour le pied antérieur.

D. et S. Simon

ROBE

Les couleurs admises sont :
a) le fauve unicolore avec ses nuances, tant en intensité qu'en dilution (isabelle, sable, etc.) ;
b) le fauve et blanc dans toutes ses gradations ; bande blanche sur la tête et sur la poitrine ; pieds blancs, pointe de la queue blanche, ventre blanc ; un petit collier blanc n'est pas trop apprécié ; le manteau blanc unicolore ou avec des taches orange est toléré ; la robe fauve entremêlée de poils plus clairs ou plus foncés est aussi admise.

POIL

Poil ras sur la tête, sur les oreilles et sur les membres ; demi-long, mais bien lisse et adhérant à la peau, sur le tronc et sur la queue. Texture du poil « vitrée ».

PEAU

Adhérant bien au corps, fine. Le pigment de la peau peut changer selon la couleur de la robe. Les muqueuses et la peau de la truffe ne doivent jamais présenter de taches noires (disqualification) ni être dépigmentées.

ALLURES

Trot sautillant ; pendant la chasse, trot dégagé intercalé par du galop.

TAILLE ET POIDS

La hauteur au garrot est chez les mâles de 46 à 50 cm, chez les femelles de 42 à 46 cm, avec une tolérance de 2 cm en plus tant pour les mâles que pour les femelles. Poids chez les mâles de 10 à 12 kg ; chez les femelles de 8 à 10 kg.

LES COUSINS

Bien que séparés depuis des millénaires, à l'abri de leurs îles respectives, Cirneco de l'Etna, Podenco Ibicenco et Chien du Pharaon sont de proches cousins, descendant directement du Lévrier d'Afrique.

Venant de Malte, le Chien du Pharaon est donc bien un insulaire, même si les Anglais lui ont donné un nom faisant référence à ses origines premières. Appelé Tal-Fenek en langue maltaise (*fenek* signifiant lapin), il a été dans les années soixante-dix l'objet d'une soigneuse sélection britannique, aboutissant à la rédaction d'un standard homologué en 1976 par la FCI.

De leur côté, Allemands et Suisses avaient eu une idée similaire : pour sauver de l'extinction les derniers représentants de l'antique Lévrier des Égyptiens, ils avaient sélectionné des Lévriers des Baléares puis, en 1963, fait approuver, par l'intermédiaire d'une organisation affiliée à la FCI — l'Union internationale des courses de Lévriers (UICL) —, un standard du Pharaonhund. L'initiative pouvait se comprendre à une époque où la cynophilie espagnole n'était guère active. Mais aujourd'hui elle se développe beaucoup et se préoccupe sérieusement de l'avenir de ses races nationales, et notamment du Podenco Ibicenco.

Par ailleurs, une étude récente montre que les Majorquins eux-mêmes ne délaissent absolument pas leur Lévrier ; au contraire, conservant jalousement leurs traditions de chasse sans fusil, ils vénèrent ce chien, maintenu pur depuis l'époque d'Hannibal.

On constate donc que ces trois races, menacées d'extinction il y a peu de temps encore, suscitent aujourd'hui un regain d'intérêt, même si leur aspect déconcerte encore quelque peu le grand public.

D. et S. Simon

Le Cirneco, lui, chasse le nez à terre, suivant avec patience et méthode la trace du gibier, silencieusement, au trot. Il fait lui-même le travail du début à la fin, sans que le chasseur sicilien n'ait besoin d'utiliser une seule cartouche — en se conduisant comme un leveur de gibier et un broussailleur (de même qu'un Cocker, par exemple), comme un Lévrier, pour la poursuite, et enfin comme un Retriever, puisqu'il rapporte. Cette méthode de chasse rend le Cirneco particulièrement efficace contre le lapin, tout spécialement sur les pentes rocailleuses de l'Etna. Mais, grâce à sa connaissance des terrains difficiles, à sa résistance, particulièrement à la chaleur, le Cirneco est utilisé aussi sur d'autres gibiers — le lièvre, la plume (faisans, perdrix, bécasses, cailles). De plus, le Cirneco permet de chasser au petit jour ou à la nuit tombante, ce qui favorise une chasse d'autant plus discrète que ce chien, silencieux, ne donne de la voix (de brefs jappements) que lorsqu'il serre de près le gibier ou qu'il creuse.

En France, le Cirneco chasse sous le fusil. En effet, aujourd'hui, un chasseur français ne peut légalement utiliser les compétences des Lévriers selon la méthode traditionnelle, mais il peut employer le Cirneco comme leveur de gibier et broussailleur.

C'est cependant comme chien de compagnie que le Cirneco a vraisemblablement le plus de chances de s'implanter dans notre pays. Son aspect insolite, très original, devrait en effet lui valoir des amateurs. Il est d'ailleurs doté d'indiscutables qualités de chien de compagnie : d'un format peu encombrant (celui d'un Whippet, à peu de chose près), couvert d'un poil ne nécessitant aucun entretien, il est, sous une apparente gracilité, extrêmement robuste, et même rustique.

Silencieux et discret, d'un caractère un peu indépendant — sans être cependant rétif à l'obéissance —, ce chien se montre réservé et méfiant envers les inconnus, exerçant quand la situation l'exige une grande vigilance. Très calme dans une maison, comme un chat — il s'adapte bien à l'appartement —, il fait preuve d'une vivacité et d'un dynamisme étonnants dès qu'on lui donne l'occasion de s'ébattre ; il se révèle alors un remarquable sauteur et un véritable acrobate. Il lui faut donc un minimum d'exercice pour vivre en milieu citadin.

Sans être très démonstratif, il est amical et affectueux ; il s'entend bien avec les enfants, avec lesquels il se manifeste tout à la fois très doux et joueur.

Mais le Cirneco n'a pas que des qualités de comportement : il est à même de séduire les passionnés d'histoire qui, avec un tel chien, pourront se targuer, sans forfanterie aucune, d'avoir un rare et très discret représentant de la plus ancienne famille canine du monde, remontant à 7 000 ou 9 000 ans !

Chasseur invétéré, le Cirneco est aussi un chien de compagnie bien agréable. C'est d'ailleurs cette seconde qualité qui devrait le faire apprécier des cynophiles, notamment français !

CLUMBER-SPANIEL

LE MAÎTRE IDÉAL

Le Clumber-Spaniel a besoin d'un maître à son image, c'est-à-dire facile à vivre et débonnaire. Il n'est pas né pour partager la vie des personnes nerveuses ou angoissées. Si vous êtes équilibré et persévérant, vous saurez tirer le meilleur de cet animal courageux, obéissant et attentif. Ne vous fiez pas à son physique pataud et à ses allures flegmatiques, ce chien-là aime la nature et le grand air plus encore que les intérieurs douillets.

Portrait du Clumber-Spaniel

GROUPE
huitième

SECTION
chiens leveurs de gibier ou broussailleurs

HAUTEUR AU GARROT
de 45 à 50 cm environ

POIDS
de 30 à 34 kg

ROBE
blanche avec des taches citron

POIL
abondant, serré, soyeux et droit

DIFFUSION
rarissime en France (une trentaine de sujets)

DURÉE DE VIE MOYENNE
douze ans

CARACTÈRE
digne, gai, obéissant

RAPPORTS AVEC LES ENFANTS
très bons

RAPPORTS AVEC LES AUTRES CHIENS
très bons

RAPPORTS AVEC LES AUTRES ANIMAUX
fondés sur l'habitude

RAPPORTS AVEC LES CHATS
fondés sur l'habitude

APTITUDES
chien de chasse (broussailleur) ; chien de compagnie

ESPACE VITAL
jardin si possible

ALIMENTATION
550 g environ d'aliment sec complet en ration d'entretien

TOILETTAGE
brossages réguliers

PRIX D'ACHAT
✱✱

COÛT D'ENTRETIEN
moyen

F. Nicaise.

ORIGINE ET HISTOIRE

Le Clumber-Spaniel (ou, officiellement — et plus simplement —, en France, le Clumber) était hautement apprécié de l'aristocratie anglaise au XVIIIe siècle, comme l'atteste un tableau de Francis Weatley datant de 1788 et représentant le deuxième duc de Newcastle, Henry Pelham Clinton, chassant à cheval en compagnie de trois Clumbers. Cette race doit d'ailleurs son nom au château de Clumber (dans le Nottinghamshire), qui appartenait aux ducs de Newcastle. Toutefois, les avis divergent sur l'histoire des Clumbers.

Selon un article du *Sporting Magazine* publié en 1807, c'est le duc de Noailles qui, vers 1760, aurait offert trois de ces Spaniels assez originaux à son pair anglais, lequel, séduit par ce noble cadeau, aurait à son tour installé un chenil dans sa propriété de Clumber. Cette version a reçu en 1870 la caution du grand cynologue Stonehenge. Mais, aussi sympathique soit-elle, elle n'en a pas moins laissé perplexes nombre de cynologues français, qui ont cherché en vain dans les races et types canins, aussi bien parmi ceux qui ont disparu que parmi ceux qui ont survécu, un chien français offrant quelque ressemblance avec le Clumber. Quant aux amateurs anglais, non moins perplexes, qui ont également procédé à des recherches sur les origines de ce chien, ils n'ont trouvé aucun indice de l'existence d'un élevage de chiens entrepris par le duc de Noailles… Il faut donc se demander si ce récit ne relève pas

G. Lacz

Courageux, obéissant, persévérant et doté d'une très grande finesse de nez, le Clumber-Spaniel est à l'évidence un chien de chasse particulièrement actif. C'est cependant en tant qu'animal de compagnie qu'il est apprécié aujourd'hui en Europe.

LE CLUMBER EN CHIFFRES

Le Clumber-Spaniel est rarissime en France : depuis l'année 1972, qui a vu la première importation, quelques adultes en provenance de Grande-Bretagne et des États-Unis ont produit de rares portées. L'ensemble ne représente guère qu'une trentaine de sujets (c'est en 1986 que le Livre des origines français a enregistré le plus grand nombre d'inscriptions : 12). La race est un peu mieux représentée dans son pays d'origine, la Grande-Bretagne ; elle y reste cependant rare, même si ses effectifs sont en augmentation (dans les années soixante-dix, on estimait à 500 le nombre de Clumbers vivant outre-Manche ; ils semblent être plus d'un millier aujourd'hui). Le Kennel Club en enregistre actuellement entre 100 et 200 chaque année (199 en 1985, 143 en 1986).
Le Clumber compte des amateurs fervents aux États-Unis, où il semble même plus utilisé à la chasse qu'en Grande-Bretagne (dans ce pays, il est devenu le plus souvent chien de compagnie et d'exposition). Mais, comme l'American Kennel Club ne comptabilise qu'une petite centaine de naissances annuelles, on peut en déduire que la population américaine de Clumbers est légèrement inférieure aux effectifs britanniques.
Ainsi, même si elle n'est pas très nombreuse, cette race, avec plus de 2 000 sujets chez les Anglo-Saxons et plusieurs dizaines d'autres répartis dans quelques pays européens, ne peut heureusement pas être considérée comme en voie d'extinction.

d'un genre trop souvent cultivé par l'imagination des « spécialistes canins » du passé, celui des fables et légendes.

Cette imagination s'illustre par ailleurs dans une théorie de certains cynologues britanniques : frappés par le crâne large, l'aspect massif et la forte ossature du Clumber-Spaniel, ils voulurent y voir des similitudes avec une race qui commençait à être connue dans l'Angleterre du XIXe siècle, où elle fut d'abord appelée « Mastiff Alpin », et qui n'était autre que le célèbre Saint-Bernard... Mais, comme il était saugrenu de croire que l'on ait pu croiser l'énorme Saint-Bernard avec des Spaniels en vue de créer un chien de chasse, ces « spécialistes » imaginèrent que le chien de montagne devait posséder un cousin chasseur, bien massif, qu'ils baptisèrent « Épagneul Alpin ». Une race qui, faut-il le préciser, a le défaut de n'avoir jamais existé !

Plus raisonnablement, il faut se ranger à l'opinion de ceux qui, voyant dans le Clumber un chien purement britannique, suggèrent qu'il a été sélectionné à partir de divers chiens locaux. Cette thèse manque cependant d'arguments précis. Ainsi, la ligne du Clumber laisserait supposer qu'un limier corpulent ou un pesant basset ont été mis à contribution pour sa genèse ; mais alors, ces ascendants n'auraient pas transmis dans l'héritage la belle voix des chiens courants, car le Clumber chasse silencieusement.

Ce qui est certain, en tout cas, c'est que, quelles que soient ses origines, le Clumber-Spaniel ne tarda pas à être adopté par la noblesse anglaise, comme en fait foi un tableau de C. Hancock daté de 1834, qui représente lord Middelton accompagné de plusieurs Clumbers, puis par la famille royale qui, du prince Albert à Édouard VIII, fit beaucoup pour sa popularité.

Le Clumber se signala aussi auprès des sportifs, par d'évidentes qualités cynégétiques. Vers 1900, on dressait ainsi de lui ce portrait flatteur : « Il appartient à l'une des variétés les plus utiles, les plus appréciées du Spaniel de chasse. Il est aussi l'un des plus anciens, le plus digne, et cependant le plus docile. Très hardi, il est très facile de caractère. » Lors du premier field-trial organisé par le Sporting Spaniel Club, en janvier 1889, à Sutton Scardscale, où toutes les variétés de Spaniels concouraient ensemble, les Clumbers arrivèrent à la deuxième et à la troisième place. Dans les dernières années du XIXe siècle, une femelle Clumber, Beechgrove Bee, conduite par Winston Smith, se fit remarquer en dominant tous les field-trials de l'époque ; elle fut le premier Spaniel à être sacré champion de travail.

Vers 1910, la popularité du Clumber commença à décliner. De plus en plus, en effet, on préférait des Spaniels plus ardents et de moindre format — qui avaient fait, il faut le dire, de gros progrès. Les fameux Cockers et Springers pointaient le bout de leur museau. Le déclin, qui semblait consommé à la fin des années trente, ne put que se confirmer pendant la dernière guerre. Déclin quantitatif, bien sûr, car l'élevage du Clumber ne connut pas d'interruption ; on remarque même — fait assez rare pour être noté — une absolue continuité dans certaines lignées. Ainsi, celle d'un des plus grands éleveurs du début du siècle, William Awkright, demeurant à Sutton Scardscale, est toujours poursuivie par une éleveuse au même endroit, et la plupart des Clumbers d'Europe sont d'ailleurs issus de

STANDARD DU CLUMBER-SPANIEL

ASPECT GÉNÉRAL ET CARACTÉRISTIQUES

Chien bien proportionné, à l'ossature lourde, actif, à l'expression pensive ; l'ensemble dénote la force. Stoïque au grand cœur, très intelligent ; sa détermination met en valeur son aptitude naturelle. Silencieux au travail et doté d'un nez excellent. Tempérament stable, digne de confiance, gentil et digne ; plus distant que les autres Spaniels, sans aucune tendance à l'agressivité.

TÊTE ET CRÂNE

La tête est carrée, massive, de longueur moyenne, large au sommet avec un occiput marqué. Les arcades sourcilières sont lourdes et le stop bien marqué. Le museau est lourd et carré avec des lèvres bien développées. Aucun caractère de la tête et du crâne ne doit être exagéré. *Yeux* : nets, de couleur ambre foncé, légèrement enfoncés dans les orbites ; conjonctive quelque peu visible mais sans excès ; les yeux à fleur de tête et clairs sont à rejeter. *Oreilles* : grandes, en forme de feuille de vigne, bien couvertes de poils droits ; elles pendent légèrement vers l'avant ; les franges ne doivent pas dépasser l'extrémité inférieure du cuir (pavillon). *Mâchoires* : elles sont fortes et offrent un articulé parfait, régulier et complet en ciseaux, c'est-à-dire que les incisives supérieures recouvrent les inférieures dans un contact étroit et sont implantées à l'aplomb des mâchoires.

COU

Assez long, épais et puissant.

AVANT-MAIN

Les épaules sont fortes, obliques et musclées. Les membres antérieurs sont courts, droits, forts, avec une bonne ossature.

CORPS

Long, lourd, près de terre. Poitrine bien descendue. Côtes bien cintrées. Le dos est droit, large et long. Le rein est musclé et le flanc bien descendu.

ARRIÈRE-MAIN

Très puissante et bien développée. Les jarrets sont bas, les grassets bien coudés et bien disposés dans l'axe du corps.

PIEDS

Grands, ronds, bien couverts de poils.

G. Lacz

QUEUE

Attachée bas, bien frangée, portée au niveau du dos.

ALLURES, MOUVEMENT

Roule dans ses allures, ce qui est dû au corps long et aux membres courts. Le mouvement est droit aussi bien à l'avant qu'à l'arrière, et la propulsion se fait sans effort.

POIL

Abondant, serré, soyeux et droit. Les membres et la poitrine sont bien garnis de franges.

COULEUR

On préfère le corps tout blanc avec des marques citron ; l'orange est admis. Légères marques en tête et taches de son sur le museau.

POIDS

Poids idéal de 34 kg chez le mâle et de 29,5 kg chez la femelle.

DÉFAUTS

Tout écart par rapport à ce qui précède doit être considéré comme un défaut qui sera pénalisé en fonction de sa gravité.

POINTS DE NON-CONFIRMATION

TYPE GÉNÉRAL : manque de type ; taille en dehors des limites du standard (mâle : de 47 à 49 cm ; femelle : de 44 à 48 cm). *Points particuliers dans le type* : signes caractérisés de malformation osseuse ; yeux pleins. ROBE : couleur de robe et texture non conformes au standard ; taches excessives sur la robe ; œil clair ou vairon. CARACTÈRE : agressivité.

ANOMALIES

Prognathisme inférieur ou supérieur ; déformations congénitales ; entropion, ectropion ; monorchidie, cryptorchidie.

---

cet élevage. Nul doute qu'on puisse affirmer, avec Paul Meunier, que « le Clumber est le Spaniel qui a subi le moins de modifications depuis sa création ».

Le Clumber était pratiquement inconnu en France, lorsque, en 1972, une femelle provenant d'Angleterre révéla la race aux exposants et amateurs de Spaniels. À partir de cette date, plusieurs sujets, importés principalement de Grande-Bretagne, sont venus former le modeste cheptel français, entretenu grâce aux quelques portées nées au cours des dernières années. En essayant le Clumber en field-trial, les amateurs français ont pu vérifier à leur tour les qualités inhérentes à la race déjà reconnues par les Anglo-Saxons : nez fin, quête lente, silencieuse et méthodique.

COMPORTEMENT

Le Clumber-Spaniel peut paraître en France un cas un peu marginal dans le monde du chien de chasse, dans la mesure où il semble surtout destiné aux passionnés de races britanniques.

Ce chien n'en dispose pas moins d'indéniables qualités. Le Spaniel Club français lui décerne d'ailleurs ce beau satisfecit : « Il est sans doute le plus facile à dresser de tous les membres de la famille des Spaniels. Il n'a pas la tête dure et une fois qu'il a appris ses leçons, il s'en souvient. » Les Américains, découvrant le Clumber après la guerre, lui avaient adressés des compliments analogues : « Le Clumber est très cou-

CLUMBER SPANIEL

Le Clumber-Spaniel, qui fut jadis l'orgueil de la noblesse britannique, ne répugne pas, bien au contraire, à faire le clown, à se dépenser sans retenue, sitôt que l'occasion lui en est offerte...

rageux, obéissant, de bon nez, endurant et persévérant. » À vrai dire, ces qualités concernent surtout le comportement à la chasse. Or, en Europe, en Grande-Bretagne en particulier, le Clumber est devenu essentiellement un chien de compagnie. Ce chien digne, sûr de lui, à l'expression souvent dubitative, est doté d'un excellent naturel : rien ne compte plus à ses yeux que de plaire à ses maîtres et d'être un membre à part entière de sa famille humaine.

S'il aime la sieste et ne fait pas de bruit, il ne faudrait pas prendre cette discrétion pour de l'apathie ;

c'est, au contraire, un chien plein de vie, remuant à ses heures, joyeux compagnon avec les familiers : prêt à toutes les pitreries pour séduire son entourage, cet habitué de la « high society » et des grandes propriétés anglaises, loin d'être maniéré, est irrésistible lorsque, abandonnant son air pensif, il se met à faire le clown. En revanche, il accueille les inconnus avec retenue et n'accorde pas son amitié au premier venu, sans être pour autant agressif. Sociable avec les autres chiens, aimant beaucoup les enfants, il fait partie des chiens de chasse qui s'adaptent parfaitement à la douce oisiveté du chien de maison.

Ne faut-il donc parler de son rôle traditionnel de chasseur que pour mémoire ? Ce n'est certes pas par hasard si ce lent et calme Spaniel a été supplanté par des cousins plus rapides et plus actifs, adaptés aux nécessités de la chasse moderne. Chez nous, les Braques de pays et les lourds Épagneuls chassant sous le fusil ont de la même façon été délaissés depuis longtemps. Cependant, si on le ramène sur son terrain de chasse, le Clumber-Spaniel se montre toujours un broussailleur efficace, qui peut être employé avec succès sur les territoires les plus touffus — sous-bois, bocage dense — où sa persévérance et sa méthode, alliées à un excellent flair et à une bonne endurance, seront appréciées.

Ce chasseur obstiné et résistant aime aussi l'eau, et ses talents pour la recherche et le rapport du gibier, qui font merveille pour le gibier à poil, peuvent s'appliquer aussi aux canards, faisans et bécasses.

L'entretien de son pelage s'apparente à celui du Springer. Il est moins sujet que le Cocker aux maux d'oreilles, car il a des oreilles moins longues et moins chargées en poil. On doit en revanche surveiller ses yeux, assez sensibles du fait de la conjonctive apparente : un nettoyage régulier avec du sérum physiologique est une précaution nécessaire.

LES COUSINS

Le Spaniel Club français regroupe actuellement huit races de Spaniels (l'American Water-Spaniel, chien très rare, n'est pas représenté en France).
Certaines — le Cocker-Spaniel, le Cocker Américain, le Springer Anglais (English Springer-Spaniel) — sont bien connues et fort réputées, que ce soit pour la chasse ou dans le cadre des expositions.
Le Springer Gallois (Welsh Springer-Spaniel) s'apparente au moins pour l'aspect au Springer Anglais, tandis que le Chien d'Eau Irlandais (Irish Water-Spaniel) fait penser au Caniche et à l'Épagneul de Pont-Audemer.
Enfin, deux autres races, le Field-Spaniel et le Sussex-Spaniel, devenues très rares, sont cousines du Clumber et méritent à ce titre une attention spéciale.
Le Field-Spaniel ressemblant beaucoup au Cocker, on chercha à l'en différencier nettement, en allongeant exagérément sa silhouette — au point qu'il devint, au début du siècle, une sorte de basset. La race a bien failli disparaître : dans les années soixante, le Kennel Club n'enregistrait pas plus de deux portées par an. Aujourd'hui, le Field-Spaniel se présente comme un chien puissant, au corps et au museau allongés ; il a presque la taille d'un Springer, mais il paraît plus bas sur pattes : il mesure environ 46 cm, pour un poids compris entre 16 et 22 kg. Sa robe est unicolore — noire, foie, rousse, chacune de ces couleurs pouvant comporter des marques feu.
Le Sussex-Spaniel est une race ancienne de Spaniel (on situe son apparition au milieu du XVIIIe siècle) ; visiblement apparenté au Clumber, il est cependant moins imposant (de 38 à 40 cm au garrot, de 18 à 20 kg) et de couleur uniquement foie doré. À la différence du Clumber, il aboie dans son travail. Sussex et Field, rarissimes en France, ne représentent qu'une centaine de naissances annuelles en Grande-Bretagne et un peu moins d'une cinquantaine aux États-Unis.

COCKER AMÉRICAIN

LE MAÎTRE IDÉAL

Le Cocker Américain est une crème de chien. Très soucieux de plaire à son maître, débordant d'affection, il est, de l'avis général, bon élève. Toutefois, avec un animal aussi malin et démonstratif, mieux vaut poser les « règles du jeu » sans tarder et s'y tenir, en n'oubliant jamais de lui témoigner son affection. Toute personne aimant la vie et douée de bon sens s'entendra à merveille avec lui, pour autant qu'elle ne commette pas l'erreur de céder à tous ses caprices au départ.

D. et S. Simon.

Portrait du Cocker Américain

GROUPE
huitième

SECTION
chiens leveurs de gibier ou broussailleurs

HAUTEUR AU GARROT
38 cm environ pour le mâle

POIDS
de 10 à 12 kg

ROBE
noire ou de toute autre couleur unie, avec ou sans marques feu ; bicolore ; tricolore

POIL
soyeux, plat ou légèrement ondulé ; franges sur l'abdomen et les pattes

DIFFUSION
4 000 sujets environ en France

DURÉE DE VIE MOYENNE
douze ans

CARACTÈRE
gai, vif, facile à vivre

RAPPORTS AVEC LES ENFANTS
excellents

RAPPORTS AVEC LES AUTRES CHIENS
très bons

RAPPORTS AVEC LES AUTRES ANIMAUX
bons

RAPPORTS AVEC LES CHATS
bons

APTITUDES
chien de compagnie et d'exposition

ESPACE VITAL
peut vivre en appartement, s'il bénéficie de sorties régulières

ALIMENTATION
250 g d'aliment complet sec par jour

TOILETTAGE
important : brossages très réguliers, tonte de certaines régions toutes les six ou huit semaines

PRIX D'ACHAT
✶✶

COÛT D'ENTRETIEN
moyen

ORIGINE ET HISTOIRE

Le Cocker Américain, qui est le plus petit des Spaniels du huitième groupe, est aussi le plus jeune, puisqu'il est né officiellement en 1945. Les Américains ont obtenu cette race — qui allait vite devenir leur favorite — en effectuant une sévère sélection à partir des seuls Cockers.

Les Spaniels (Épagneuls) représentent une antique souche canine, à partir de laquelle sont nés les Cockers au XIXe siècle. De création britannique, les Cockers eurent grand succès outre-Atlantique, en particulier au Canada, pays qui avait, vers 1880, la réputation de posséder les meilleurs sujets.

Mr. Mac Douglas, un amateur originaire de Toronto, joua un rôle pionnier en fondant en 1882, avec un Américain, Mr. Watson, l'American Spaniel Club, qui avait son siège à New York. La même année, un autre Américain, Mr. Pittcher, importait une chienne nommée Chloé II, qui avait été saillie par Obo, un chien issu du croisement entre un Sussex-Spaniel et une Field-Spaniel et considéré comme le fondateur de la race Cocker (son portrait authentique figure en bonne place au Kennel Club américain). Chloé II mit bas deux chiots, Obo II et Miss Obo II, qui sont les ancêtres des Cockers Américains, même s'ils n'avaient pas encore la silhouette compacte du Cocker Américain actuel (qui toise, pour le mâle, environ 38 cm, alors qu'Obo II mesurait 25 cm au garrot pour un poids de 10 kg — ce qui implique qu'il était très long

LA SILHOUETTE DU COCKER AMÉRICAIN

Le Cocker Américain doit une bonne partie de sa silhouette assez sophistiquée à un pelage aussi long qu'abondant; celui-ci est lié à l'existence d'un gène particulier, comme l'a reconnu officiellement le standard, remanié, publié en 1957 (on notera d'ailleurs que, dans ce standard, un pelage trop long, dissimulant les lignes du chien, est noté comme une caractéristique pénalisable — alors que, dans les faits, il atteint bel et bien le sol...).

Le caractère spectaculaire de la robe du Cocker Américain explique l'importance donnée à sa couleur; la gamme est riche; on recense en effet plus de quinze coloris — le noir jais, le noir et feu (les feux pouvant aller du crème clair au rouge foncé ou bien être charbonnés, ce qui s'appelle *pencilling*), le blond (du platine au golden et même jusqu'à l'acajou), le noir et blanc, l'orange et blanc, le chocolat, le choclat et blanc, le chocolat et feu, le chocolat, blanc et feu, le bleu rouan. Cette riche palette peut encore s'élargir, puisque les Américains ont mis récemment au point une nouvelle nuance, le sable et blanc, jugée par certains « assez impressionnante ».

Compte tenu de cette grande diversité de couleurs, les Cockers Américains sont jugés selon trois catégories différentes : les noirs (comprenant également les noir et feu), les « Ascob » (initiales de *any solid color other than black*, c'est-à-dire « toute couleur autre que le noir ») et les pluricolores (une ou deux couleurs, accompagnées de blanc). Au Canada, les noir et feu sont jugés dans une catégorie spéciale. Est-ce un tribut payé à l'esthétique? En tout cas, la forme en dôme du crâne s'accompagne, chez certains Cockers Américains, d'une apparence d'hydrocéphalie (épanchement anormal de fluide cérébrospinal, ne pouvant s'échapper du crâne) : certains observateurs estiment, aux États-Unis, que 20 % des Cockers Américains pourraient en être atteints à divers degrés, sans que cela affecte d'ailleurs l'intelligence ou la santé de la très grande majorité des sujets.

Noire ou de toute autre couleur unie, bicolore (voire tricolore), la robe du Cocker Américain doit être entretenue régulièrement : non seulement cela préservera son aspect, mais encore cela habituera le chien à être patient.

STANDARD DU COCKER AMÉRICAIN

ASPECT GÉNÉRAL

Le Cocker Américain est le plus petit du groupe des chiens de chasse à tir. Le corps est robuste et compact. La tête, aux lignes pures, est finement ciselée. Le Cocker doit présenter un ensemble parfaitement équilibré et une hauteur au garrot idéale. En station debout, il est bien relevé dans la région de l'épaule. Les membres antérieurs sont d'aplomb et la ligne du dessus descend légèrement vers l'arrière-main forte et musclée. Le Cocker est un chien capable d'atteindre une vitesse considérable tout en ayant beaucoup d'endurance. Par-dessus tout, il doit être dégagé dans ses allures, gai, solide, bien équilibré dans toutes ses parties et montrer un vif intérêt pour le travail. Il est d'un naturel égal et nullement craintif.

TÊTE

Bien proportionnée, en harmonie avec le reste du corps. Le crâne est arrondi mais sans exagération; aucune tendance à être plat. Les arcades sourcilières sont nettement dessinées et le stop est prononcé. Les structures osseuses sous les yeux sont bien ciselées et les joues ne sont pas saillantes. *Museau* : large et haut; les mâchoires sont carrées, d'égale longueur; la lèvre supérieure a de la substance et elle descend suffisamment vers le bas pour couvrir la mâchoire inférieure; pour que les proportions soient correctes, il faut que la distance du stop à l'extrémité de la truffe soit égale à la moitié de la distance du stop au sommet de la crête occipitale. *Dents* : fortes et saines, pas trop petites; articulé en ciseaux. *Truffe* : de taille suffisante par rapport au museau et au chanfrein; les narines sont bien développées, ce qui est typique chez un chien de chasse; la truffe est noire chez les Cockers à robe noire et à robe noir et feu; dans les autres couleurs de robe, la truffe peut être marron, foie ou noire, le plus foncé étant préférable; la couleur de la truffe s'harmonise avec celle du pourtour des yeux. *Yeux* : le globe oculaire est rond et remplit bien l'orbite; les yeux regardent droit devant; ils sont légèrement en amande; ils ne doivent êre ni trop petits, ni globuleux; l'iris est de couleur marron, le plus foncé possible; l'expression reflète l'intelligence, la vivacité, la douceur, l'imploration charmeuse. *Oreilles* : pavillon fin, long, en forme de lobe, bien garni de franges; l'oreille n'est pas attachée plus haut que le niveau de la partie inférieure de l'œil.

COU ET ÉPAULES

Le cou est suffisamment long pour que le nez puisse toucher facilement le sol. Il est musclé et exempt de fanon. La sortie d'encolure est forte, puis le cou se galbe légèrement tout en s'amenuisant progressivement jusqu'à l'attache de la tête. Les épaules, bien obliques, forment un angle avec le bras d'environ 90°, ce qui permet le libre jeu des antérieurs que le chien porte en avant avec beaucoup d'extension. L'épaule est nettement dessinée et inclinée, sans faire de saillie. Elle est placée de telle sorte que l'extrémité supérieure du garrot offre une inclinaison qui permet aux côtes d'être bien cintrées.

CORPS

Court, compact, bien soudé, donnant une impression de force. La distance du sommet du garrot au sol est de 15 % (ou approximativement 2 pouces, soit 5,08 cm) supérieure à la distance du garrot au point d'attache de la queue. Le dos est fort. Il descend doucement et de façon régulière du garrot à la naissance de la queue, qui est écourtée. Les hanches sont larges, et l'arrière-main est bien arrondie et musclée. La poitrine est haute; elle descend au moins au niveau des coudes; la région antérieure de la poitrine est suffisamment large pour loger le cœur et les poumons mais pas au point de gêner le mouvement des membres antérieurs vers l'avant. Les côtes sont bien descendues et bien cintrées. Le Cocker Américain ne doit jamais donner l'impression d'être long et bas sur pattes.

QUEUE

Écourtée, elle est attachée et portée en prolongement de la ligne du dos ou légèrement plus haut. Elle n'est jamais dressée comme celle d'un Terrier ou basse au point de dénoter la crainte. Quand le chien est en action, la queue doit frétiller.

MEMBRES

Les antérieurs sont parallèles, droits, fortement charpentés, musclés et disposés bien contre le corps, sous les omoplates. Vu de profil, les antérieurs étant verticaux, le coude est situé à l'aplomb de l'angle supérieur de l'omoplate. Les canons métacarpiens sont courts et forts. Les membres postérieurs sont fortement charpentés et musclés, bien angulés au grasset. Les cuisses sont puissantes et nettement dessinées. L'articulation du grasset est solide et, en action comme en station debout, ne doit présenter aucune laxité. Les jarrets sont forts, bien descendus, et, vus de derrière, les membres postérieurs sont parallèles, en action comme au repos.

PIEDS

Compacts, grands, ronds et fermes. Ils présentent des coussinets durs. Ils ne tournent ni en dehors, ni en dedans. L'ablation des ergots aux membres postérieurs et antérieurs est autorisée.

ROBE

Sur la tête, le poil est court et fin; sur le corps, il est de longueur moyenne avec suffisamment de sous-poil pour en assurer la protection. Les oreilles, la poitrine, l'abdomen et les membres sont bien frangés mais sans excès afin de ne pas cacher les vraies lignes et le mouvement du Cocker, de ne pas nuire à son aspect ou à sa fonction de chien de chasse. La texture est des plus importantes. Le poil est soyeux, plat ou légèrement ondulé; sa texture facilite l'entretien. Le poil trop abondant ou bouclé ou cotonneux doit être pénalisé.

COULEURS ET MARQUES

• *Noirs* : robe unicolore noire et également robe noire avec extrémité feu; le noir doit être de jais; les reflets marron ou foie dans le lustre de la robe ne sont pas souhaitables; on admettra un peu de blanc sur la poitrine et/ou à la gorge; le blanc, en toute autre région, entraîne la disqualification.
• *Toute couleur unie autre que le noir* : toute couleur unie autre que le noir avec ou sans extrémités feu; la couleur sera d'un ton uniforme, et on admettra des franges plus claires; on admettra un peu de blanc sur la poitrine et/ou à la gorge; le blanc en toute autre région entraîne la disqualification.
• *Pluricolores* : deux couleurs bien définies ou

plus, bien réparties, l'une devant être le blanc, y compris sur les robes aux extrémités feu ; il est préférable que les marques feu soient localisées selon le même patron que chez les noirs et les « toute couleur unie autre que le noir » ; les rouans sont classés avec les pluricolores et peuvent présenter n'importe lequel des patrons habituels du rouan ; la couleur du fond de la robe couvrant 90 % ou plus de la robe entraîne la disqualification.

• *Marques feu* : la couleur feu peut aller du crème le plus clair au rouge le plus foncé et ne doit couvrir au plus que 10 % de la robe ; les taches feu couvrant plus de 10 % entraînent la disqualification. Chez les noirs et les « toute couleur unie autre que le noir » qui portent des marques feu, celles-ci seront localisées selon le schéma suivant : 1) petite tache arrondie, nette, au-dessus de chaque œil ; 2) marque sur les côtés du museau et sur les joues ; 3) sur la face interne des oreilles ; 4) sur les quatre pieds et/ou les quatre membres ; 5) sous la queue ; 6) sur la poitrine, présence ou absence non pénalisée. Les marques feu qui ne sont pas nettement visibles ou qui se résument à des traces seront pénalisées. Les marques feu sur le museau qui s'étendent vers le haut, sur le dessus et qui se joignent seront également pénalisées. Chez les sujets qui portent des marques feu dans les variétés « noirs » et

« toute couleur unie autre que le noir », l'absence de marque feu dans chacune des localisations spécifiées entraînera la disqualification.

ALLURE

Le Cocker Américain, quoique le plus petit du groupe des chiens de chasse à tir, a l'allure typique d'un chien de chasse. L'équilibre entre l'avant-main et l'arrière-main est la condition indispensable à une bonne allure. Le chien donne l'impulsion grâce à son arrière-main vigoureuse et puissante, et la construction correcte de ses épaules et de ses membres antérieurs fait qu'il peut développer le membre vers l'avant sans aucune contrainte, en une enjambée ample pour répondre à l'impulsion de l'arrière. Avant tout, ses allures sont coordonnées, régulières et faciles. Le chien, dans son action, doit couvrir le terrain, et il ne faut pas confondre le chien trop remuant et le chien aux allures correctes.

TAILLE

La hauteur idéale au garrot est de 15 pouces (38,10 cm) chez le mâle adulte et de 14 pouces (35,56 cm) chez la femelle adulte. La taille peut

varier d'un demi-pouce en plus ou en moins (1,27 cm).

POINTS DE NON-CONFIRMATION

TYPE GÉNÉRAL : manque de type ; taille en dehors des limites du standard (mâle : de 37 à 40 cm, femelle : de 35 à 38 cm). *Points particuliers dans le type* : signes caractérisés de malformation osseuse ; conjonctive trop apparente. ROBE : couleur et marques non conformes au standard ; fourrure pauvre, laineuse ou bouclée ; œil clair ou vairon ; nez ou lèvre ladrées. CARACTÈRE : agressivité.

ANOMALIES

Prognathisme inférieur ou supérieur ; déformations congénitales ; entropion, ectropion ; monorchidie, cryptorchidie.

de corps). Certains spécialistes et juges de l'époque trouvaient d'ailleurs la sœur plus jolie que le frère. Très fiers de leurs chiens, les Canadiens venaient les exposer aux États-Unis, et leurs champions furent les vainqueurs de nombreuses expositions américaines (Black Duck, un fils d'Obo II, originaire de l'Ontario, est resté célèbre dans les annales canines). Séduits par ces succès, des amateurs de Spaniels de Boston et même de toute la côte est importèrent de nombreux chiens du Canada; encouragés en cela par Watson qui, faisant fi de tout chauvinisme, était le premier à dire qu'aux États-Unis les Cockers étaient « mal marqués » (c'est-à-dire avaient des coloris défectueux).

Graduellement, la sélection américaine du Cocker divergea de celle faite en Grande-Bretagne. Il y eut tout d'abord une simple différence de poids : ceux qui pesaient de 18 à 25 livres anglaises étaient considérés comme Cocker-Spaniel, ceux qui atteignaient entre 25 et 28 livres comme English Cocker-Spaniel. Critère peu significatif — au point qu'un jeune chien pouvait commencer ses classes d'exposition dans une catégorie puis passer dans une autre à la maturité !

Cependant, il devenait peu à peu évident que, au-delà de ces quelques livres en plus ou en moins, certains caractères physiques s'affirmaient : les Cockers sélectionnés par les Américains et les Canadiens avaient une tête plus carrée, un crâne plus bombé, un museau plus court, de grands yeux ronds et un stop profond. Légèrement plus petits, ils avaient surtout un corps plus court, mais avec des membres longs; de plus, ils possédaient un poil plus long et plus abondant. Ce choix esthétique correspond à une vocation : outre-Atlantique, on voulait faire du Cocker un chien d'exposition et de luxe.

Jusque dans les années trente, pourtant, les deux types pouvaient être croisés. Mais les field-trials pour Spaniels, organisés tant sur la côte est que sur celle du Pacifique, accentuèrent la différenciation entre les deux variétés : les Cockers « Américains » ne participèrent bientôt plus à ces épreuves, alors que les « Anglais » y faisaient bonne figure, face aux Springers qui commençaient à s'établir aux États-Unis.

Le Cocker Américain est le plus jeune des Spaniels. Sa création, en effet, ne remonte qu'à 1945, lorsque les cynophiles d'outre-Atlantique, désireux de faire des sujets d'exposition et de luxe, c'est-à-dire de petit gabarit, débutèrent leur sélection à partir des Cockers-Spaniels britanniques.

LE COCKER CHOCOLAT

La couleur chocolat est une couleur très répandue chez les Spaniels et Épagneuls. Le chien portant cette robe est entièrement brun : poil, yeux, truffe, peau. Curieusement, le chocolat fut longtemps négligé chez les Cockers, pour ne pas dire écarté. Pourtant, le fameux Obo, né en 1879, considéré comme le fondateur de la race, était porteur du gène chocolat. Un gène, comme on le sait, peut se montrer d'humeur vagabonde, et le premier sujet à être doté d'une robe chocolat fut la chienne Sweet Georgia Brown, dite Sudie, née en 1925; mais c'est le champion My Own Brucie qui, grâce à ses qualités de reproducteur, propagea cette belle robe, dont l'élégance fut officiellement reconnue puisque deux chiens de ce coloris conquirent le titre de champion avant Windridge Chocolate Dandy, qui l'obtint en 1964. L'élevage dont il était issu a fourni aussi Windridge Chocolate Baron, champion mexicain et premier chien chocolat à être importé en France, par Mme Ruffer, de l'élevage de Merrily.

Les lignées de Cockers Américains chocolat ne sont pas très nombreuses. En effet, le gène qui produit ce coloris étant récessif, il faut que les deux parents l'aient dans leur bagage génétique pour que naissent des chiots chocolat. Et, du fait de l'interaction avec d'autres gènes de couleur, il n'est pas facile de fixer une nuance riche et sombre, ni de marier les chocolat à d'autres robes. Les éleveurs ont pourtant réussi à décliner, depuis une vingtaine d'années, les différentes possibilités de robes comportant la nuance chocolat : blanc et chocolat, chocolat et feu et même chocolat, blanc et feu. L'élevage canin vérifie ainsi une grande loi de la génétique : un gène récessif peut être véhiculé à travers de nombreuses générations et n'apparaître qu'accidentellement, mais il est en revanche très difficile à éliminer. En ayant une bonne connaissance des données génétiques, des éleveurs expérimentés peuvent les utiliser avec maîtrise et fixer à volonté de nouvelles caractéristiques dans une race (et particulièrement de nouveaux coloris) sans qu'il soit fait appel à une retrempe. Les Anglo-Saxons le font excellemment.

Cependant, certains citoyens américains restaient de chauds partisans du Cocker Anglais ; peu nombreux mais très actifs, ces amateurs regrettaient de voir la race acquérir ce museau court et ce pelage si fourni — inconvénient évident pour un chien de chasse. En 1935, soucieux de défendre leur préféré, ils fondèrent l'English Cocker-Spaniel Club, dont le but affiché était de veiller au respect du standard établi par les Britanniques.

L'année suivante, l'American Kennel Club, approuvant leur point de vue, créa des classes spéciales réservées aux Cockers Anglais dans les expositions : c'était ainsi reconnaître implicitement l'existence de deux variétés bien distinctes. Il restait à formaliser et à officialiser cette distinction ; le Canadian Kennel Club franchit le pas en 1940, en distinguant deux races de Cockers. Son homologue américain suivit son exemple en 1945, la race English Cocker-Spaniel ayant son registre propre en 1947.

Aux États-Unis, le succès populaire du Cocker Américain se concrétisa après la Seconde Guerre mondiale, puisqu'il devint alors la race comptant le plus de naissances. Malgré la rude concurrence du Yorkshire-Terrier et du Caniche — sans parler de la vogue des grands chiens comme le Labrador, le Bobtail et le Berger Allemand —, le Cocker est resté depuis au top niveau dans le cœur des Américains. Parmi les plus grands champions ayant marqué la race, il faut citer Scioto Bluff's Simbad, qui remporta un nombre incalculable de récompenses et eut une descendance aussi nombreuse que brillante : il fut le père de près d'un millier de fils et de filles, dont cent seize devinrent à leur tour champions ! Une belle lignée...

Les Européens firent un accueil beaucoup plus mitigé au Cocker Américain. Le succès du Cocker (Anglais), comme chien de chasse pendant longtemps puis, dans les années soixante et soixante-dix, comme chien de compagnie, fut à l'évidence un frein à la diffusion du Cocker Américain en Europe. En France, la race n'a pu bénéficier de la publicité représentée en 1956 — trop tôt — par le fameux dessin animé de Walt Disney, *La Belle et le clochard*, car elle est arrivée dans notre pays précisément en 1956 : le public n'a donc pas identifié en Belle un Cocker Américain — et cru qu'il s'agissait simplement d'un Cocker stylisé. Il a fallu une vingtaine d'années pour voir ses effectifs s'étoffer.

COMPORTEMENT

Si, dans la majeure partie du monde, le Cocker est resté un chien de chasse, éventuellement converti en chien de compagnie, la race américaine fut conçue essentiellement, dès l'origine, pour fournir un chien de compagnie. Bien sûr, les pulsions ancestrales restent un héritage toujours présent, au moins à l'état potentiel, chez les chiens comme chez les hommes. C'est pourquoi des générations de gagnants d'exposition n'ont pu faire oublier les dispositions de chasseur et de broussailleur du Cocker : quelques amateurs français, en faisant passer le Test d'aptitudes naturelles (TAN) à leur Cocker Américain, ont démontré que ce tempérament n'est pas effacé.

Néanmoins, on ne peut considérer ce chien comme un auxiliaire du chasseur, ce rôle étant trop incompatible avec la beauté de sa robe : s'il s'aventurait dans

LE COCKER AMÉRICAIN EN CHIFFRES

Bien qu'introduit en France depuis 1956, le Cocker Américain a mis vingt ans à s'imposer (en 1969, le Livre des origines français n'enregistrait encore que 10 naissances). La race a dépassé en 1980 le niveau des 400 naissances annuelles — niveau qu'elle retrouve aujourd'hui (1987 : 423 inscriptions) après avoir connu une légère baisse (1984 : 300 inscriptions). La population de Cockers Américains dans notre pays est de l'ordre de 4 000 sujets. Ce chien y est donc nettement moins répandu que le Cocker Anglais (la proportion est environ de 1 à 10).

En Grande-Bretagne, les Cockers Américains sont à peu près aussi nombreux qu'en France (après l'avoir été beaucoup plus dans les années soixante-dix). Le Kennel Club en a inscrit 385 en 1987. La différence de diffusion entre les deux Cockers est cependant plus flagrante, comme il est naturel : 1 Américain pour 15 Anglais.

Le triomphe du Cocker Américain est, tout aussi naturellement, total aux États-Unis. Ce chien était déjà le plus demandé après la Seconde Guerre mondiale, et, après avoir perdu le leadership dans les années soixante-dix et au début des années quatre-vingt, il l'a aujourd'hui brillamment reconquis, totalisant 98 330 naissances en 1986. La race, pendant longtemps inégalement répartie (elle était rare dans les États du Sud), a actuellement une distribution beaucoup plus homogène.

Il y a 200 fois plus de Cockers Américains aux États-Unis qu'en France ou qu'en Grande-Bretagne. Ce qui signifie qu'on y dénombre environ 800 000 sujets ! La position du Cocker Anglais y est, du coup, bien plus modeste : l'American Kennel Club en enregistre environ 1 200 par an.

un roncier, on pourrait craindre qu'il n'y reste accroché du fait de l'opulence de sa fourrure et ne puisse s'en extirper tout seul. Cette riche fourrure, parfois un peu encombrante en plein air mais qui charme l'œil avec tant de grâce, fait du Cocker Américain un bon client des boutiques de toilettage. En effet, contrairement au toilettage du Cocker Anglais, qui doit rester discret et laissera au chien un aspect « naturel », celui qu'il faut appliquer à l'Américain doit être effectué avec

Facile à vivre, naturellement gai et sociable, le Cocker Américain est un chien de famille idéal...

G. Lacz

COCKER AMÉRICAIN

G. Lacz

Les Cockers Américains sont des sportifs pleins d'entrain, toujours prêts à gambader, même s'ils ne rechignent pas, bien au contraire, leurs exercices terminés, à se reposer dans le jardin familial.

soin et compétence. Avec son apparence apprêtée, le Cocker Américain pourrait être quelque peu pédant et exigeant. Il n'en est rien : de tempérament bon enfant, ce chien est très vivant, joueur, d'une perpétuelle gaieté ; agréable en toute occasion, il aboie très peu, n'est pas fugueur, se montre calme à la maison et sensible à son confort. Sociable, extraverti, le Cocker Américain s'adapte à tous les milieux et adore les sorties et les voyages. Il ne fait preuve d'aucune agressivité envers les autres chiens, ni envers les chats. Chien de famille par excellence, il est le compagnon des enfants, petits et grands, à qui on peut le confier sans crainte. Il faut cependant veiller à ce que le jeu ne devienne pas cruel, car cet animal est si gentil qu'il subit stoïquement tous les tourments.

L'éducation du Cocker Américain ne pose pas de problème particulier : il est certes un peu têtu — comme tous les Spaniels —, mais le fait de l'habituer très tôt à se faire toiletter régulièrement le rend plus malléable et patient. On peut aussi utiliser à bon escient son goût pour les compliments, sans se laisser cependant trop prendre à son jeu ; car il a tendance à user et abuser de ses grands yeux langoureux et humides pour obtenir ce qu'il veut. Ce cabotin irrésistible ne devient cependant jamais difficile ou exagérément capricieux, si l'on fait preuve d'un peu de fermeté au moment opportun. Sans rancune, il est dans le fond trop câlin et trop avide de tendresse pour devenir bouder ou grognon.

Vif dans ses mouvements, « grouillant » comme disent les chasseurs, il a besoin de dépenser son surplus d'énergie par de bonnes promenades quotidiennes. Parfait animal d'exposition et de compagnie, ce chien bien bâti est surtout un sportif endurant, heureux de s'ébattre à la campagne par tous les temps.

Ce chien facile à vivre convient ainsi à un large public ; le seul impératif étant de consacrer à sa toilette le temps nécessaire pour qu'il garde en toute circonstance cette belle livrée qui a fait sa réputation.

LES COUSINS

C'est une belle et nombreuse famille que celle des Spaniels du 8e groupe, puisque huit cousins s'y côtoient. Le Cocker Américain a l'avantage du nombre : les États-Unis ayant la plus nombreuse population de chiens de race — l'American Kennel Club en enregistre chaque année plus de un million ! — le Cocker Américain, très en vogue outre-Atlantique, peut disputer au Cocker (ou English Cocker-Spaniel) le titre de Spaniel le plus répandu.
Mais le Cocker est présent en force dans de nombreux pays : au Brésil, par exemple, il figurait il y a peu de temps encore en tête des races les plus populaires ; en France, il reste, et de loin, le plus répandu des Spaniels. Le Cocker est un peu plus grand que l'Américain (de 39 à 41 cm pour le mâle, de 38 à 39 cm pour la femelle) et un peu plus lourd (de 12 à 14 kg), mais ces différences ne doivent pas sauter aux yeux du profane, car le Cocker est plus long de corps que son cousin américain et possède un pelage nettement moins abondant. Sa tête, elle, est bien différente, avec un museau plus allongé et un crâne qui n'a pas la forme d'un dôme. Par ailleurs, le Cocker est resté un vrai chien de chasse, polyvalent, bon rapporteur, incomparable dans les pays de bocage et au bois. S'il est actuellement moins souvent choisi que son cousin américain comme chien de compagnie, il est toujours recherché par les nombreux chasseurs qui désirent un compagnon peu encombrant et vivant à la maison.
Le Springer Anglais (English Springer-Spaniel) est moins connu du public mais de plus en plus apprécié des chasseurs ; nettement plus grand que le Cocker (51 cm environ au garrot pour 22,5 kg), il est souvent blanc et foie, quelquefois blanc et noir ou encore tricolore — mais les couleurs de robe n'ont pas une importance primordiale. Apprécié tout autant à la chasse qu'en field-trial, il doit sa réputation à sa puissance. Ce chien est aussi très prisé en Grande-Bretagne comme chien de compagnie.
Si on utilise comme critère de classement le nombre de sujets vivant en France, on trouve ensuite le Springer Gallois (Welsh Springer-Spaniel) ; un peu moins grand que le Springer Anglais, il est exclusivement blanc et roux vif. Il est encore rare en France. Plus rare encore, le Clumber-Spaniel est le plus lourd (une trentaine de kilos) des Spaniels. Sa robe est blanche, rehaussée de taches citron.
Vient ensuite le Field-Spaniel (dont le Cocker était, à l'origine, une variété plus petite, alors que, plus grand et plus long que lui, le Field-Spaniel avait pris au début du siècle des allures de basset, avec son museau allongé). Il a une robe noire, foie, rousse ou rouannée, avec ou sans marques de feu.
Seul rescapé, aujourd'hui, des Spaniels d'eau, l'Irish Water-Spaniel se distingue franchement des autres membres de la tribu par sa taille (jusqu'à 58 cm au garrot) et par son poil crépu et huileux. De teinte foie foncé, il a un petit air de famille avec l'Épagneul de Pont-Audemer, dont il est sans doute l'un des ancêtres. (Aux États-Unis, l'Irish Water-Spaniel aurait été croisé avec le Curly-Coated Retriever pour créer l'American Water-Spaniel.)
Évoquons enfin le Sussex-Spaniel, qui ressemble au Clumber par sa silhouette massive et son format allongé ; il est cependant un peu plus petit et se distingue particulièrement par une couleur foie doré, très spectaculaire.

COCKER-SPANIEL

DE NÉBULEUSES ORIGINES

Quand débute véritablement l'histoire du Cocker-Spaniel ? Beaucoup de spécialistes la font remonter à la fin du siècle dernier seulement, lorsque les premiers cynologues décidèrent de distinguer les différents types de Spaniels. Et il est vrai que le terme « Cocker », qui suggère une spécialisation dans la chasse à la bécasse (*woodcock* en anglais), n'apparaît que dans la seconde moitié du XIX\ :sup: siècle, au pays de Galles, en Écosse et dans le Devonshire.

Pourtant, dès 1800, dans sa *Cynographia britannica,* Sydenham Edwards emploie l'appellation « Cocking Spaniel », où le mot *cocking,* semble-t-il d'ailleurs, ne fait pas référence à la bécasse mais sert très vraisemblablement à désigner l'action du chien qui « surprend brusquement le gibier », ainsi que l'affirme Stanley Dangerfield dans son *Encyclopédie internationale des chiens.*

Et même si, en 1803, le *Sportsmen Cabinet* oppose le Cocking Spaniel au Springing Spaniel et que certains cynophiles commencent à faire la distinction entre les Land-Spaniels et les Water-Spaniels, il est indéniable que l'histoire du Cocker est intimement liée à celle de tous les Spaniels. Il suffit de se reporter aux documents anciens pour s'en rendre compte : il est en effet bien difficile d'identifier précisément tel ou tel type de chien. Par exemple, un texte de 1677 décrit un petit Spaniel comme un chien d'allure vive, aux narines frémissantes, au fouet gai, et pesant entre 5 et 7 kilos... Est-ce un ancêtre du Cocker, du King-Charles ou des deux races à la fois ? La même question se pose d'ailleurs au sujet des petits Spaniels de chasse baptisés Blenheim que possédait le duc de Marlborough (1650-1722). Certains cynologues (Hugh Dalziel en particulier) ont suggéré que ces chiens ont été mis à contribution pour obtenir le futur Cocker.

Un timbre tchèque à l'effigie du Cocker... C'est que sa notoriété ne connaît pas de frontières !

synonyme de « se coucher », utilisé pour désigner l'action des chiens qui s'aplatissent à terre pour ne pas gêner les chasseurs jetant leurs rêts.

À l'évidence, donc, les origines du Spaniel, comme celles de beaucoup d'autres races, nourrissent bien des controverses... Ce qui est avéré, en revanche, c'est l'ancienneté de la présence de tels chiens en Grande-Bretagne. Édouard de Langley (1344-1412), grand maître des chasses et des chiens d'Henri IV d'Angleterre, fait l'éloge des qualités de chasse des Spaniels dans son *Mayster of Game* publié en 1406 ; le poète Chaucer, auteur des célèbres *Contes de Cantorbéry,* compare hardiment le comportement de la femme à l'égard de l'homme à celui du Spaniel, « car ainsi qu'un Spaniel, elle veut sauter après lui », et d'assurer, pour faire bonne mesure, que le Spaniel est un chien très affectueux, « autant que femme en quête d'un mari ». Quant au docteur Caius, médecin personnel de la reine Élisabeth I\ :sup:re, il les désigne expressément dans son ouvrage *De Canibus britannicis,* paru en 1570 : « On les appelle communément des Spaniels comme si ces chiens provenaient d'Espagne »... On sait par ailleurs qu'Élisabeth I\ :sup:re possédait, en plus de Lévriers, des Spaniels qui étaient considérés par P. Sidney comme « les gentlemen des meutes royales ».

Tous ces éléments confortent l'opinion de Paul Caillard — à qui l'on doit l'introduction de la race en France

ASPECT GÉNÉRAL ET CARACTÉRISTIQUES

Chien de chasse gai et vigoureux, harmonieux et compact. La distance du garrot à la naissance de la queue doit être approximativement égale à la hauteur au garrot. Le Cocker est d'un naturel gai ; avec sa queue qui remue constamment, il est typiquement grouillant dans son action, en particulier lorsqu'il suit une piste, sans craindre les fourrés épais. Son tempérament est doux et affectueux ; cependant, il est plein de vie et d'exubérance.

TÊTE ET CRÂNE

Le museau est bien carré et le stop, situé à mi-distance de l'extrémité de la truffe et de l'occiput, est bien marqué. Le crâne est développé, nettement ciselé, ni trop fin, ni trop lourd. Les zygomatiques ne sont pas proéminents. Le nez est suffisamment large pour permettre la finesse du flair. *Yeux :* ils remplissent bien les orbites mais ne sont pas saillants ; ils sont bruns ou brun foncé ; ils ne sont jamais clairs, mais, chez les chiens marron, marron rouanné et marron et blanc, ils sont noisette foncée pour s'harmoniser avec la robe ; ils expriment l'intelligence et la douceur, tout en ayant un air bien éveillé, vif et gai ; les paupières en épousent bien la forme. *Oreilles :* elles sont en forme de lobe, attachées bas, au niveau des yeux ; le cuir est fin et peut atteindre l'extrémité de la truffe ; les oreilles portent de belles franges de poils longs, droits et soyeux. *Mâchoires :* elles sont fortes et offrent un articulé parfait, régulier et complet en ciseaux, c'est-à-dire que les incisives supérieures recouvrent les inférieures dans un contact étroit et sont implantées à l'aplomb des mâchoires.

COU

De longueur modérée et musclée, l'encolure est élégamment attachée à des épaules fines et obliques. Elle est exempte de fanon.

AVANT-MAIN

Les épaules sont obliques et fines. Les membres ont une bonne ossature. Ils sont droits et suffisamment courts pour donner une puissance concentrée mais pas au point de nuire aux efforts intenses que l'on attend de ce magnifique petit chien de chasse.

CORPS

Fort et compact. La poitrine est bien développée et la région sternale bien descendue, ni trop large, ni trop étroite dans

LES SPANIELS EN PEINTURE

Rubens a peint maintes fois un petit Épagneul blanc et orange, qui lui était visiblement familier (il est représenté auprès de la table familiale, ou encore jouant avec les enfants).
Un Épagneul pluricolore apparaît aussi dans les œuvres de Vélasquez, de Tiepolo, de Titien, de Rembrandt. Oudry plaçait souvent des Spaniels dans ses natures mortes « à gibier », et l'un des plus charmants portraits de la marquise de Pompadour, effectué par Nattier, la représente tenant sur ses genoux un petit Spaniel noir et feu.

STANDARD DU COCKER-SPANIEL

sa partie antérieure. Les côtes sont bien cintrées. Le rein est court et large. Il présente une ligne supérieure ferme et droite allant en pente douce vers la queue, de la fin du rein à l'attache de la queue.

ARRIÈRE-MAIN

Large, bien arrondie et très musclée. Les membres ont une bonne ossature. Le grasset est bien angulé. Les canons métatarsiens sont courts pour donner beaucoup d'impulsion.

PIEDS

Les pieds sont fermes avec des coussinets épais. Ils sont en « pied de chat ».

QUEUE

Le fouet est attaché légèrement plus bas que la ligne du dos. Il doit frétiller en action ; il est porté horizontalement et jamais relevé. Il est habituellement écourté mais jamais trop court au point de ne pas être visible, ni trop long au poing de gêner le frétillement incessant de la queue quand le chien travaille.

ALLURES ET MOUVEMENT

Allures franches, avec beaucoup d'impulsion : le chien couvre bien le terrain.

POIL

Plat ; de texture soyeuse, jamais « fil de fer » ni ondulé, pas trop abondant et jamais bouclé. Les membres antérieurs, le corps et les postérieurs au-dessus des jarrets sont bien garnis de franges.

COULEURS

Variées. Chez les unicolores, le blanc n'est admis que sur le poitrail.

POIDS ET TAILLE

Poids approximatif de 28 à 32 livres anglaises (de 12 à 14,5 kg). Hauteur au garrot d'environ 15 pouces à 15 pouces et demi pour les femelles (de 38 à 39 cm) et de 15 pouces et demi à 16 pouces pour les mâles (de 39 à 41 cm).

DÉFAUTS

Tout écart par rapport à ce qui précède doit être considéré comme un défaut qui sera pénalisé en fonction de sa gravité.

G. Lacz

POINTS DE NON-CONFIRMATION

TYPE GÉNÉRAL : manque de type ; taille en dehors des limites (mâle : de 39 à 41 cm, femelle : de 37 à 40 cm), plus la classique et obligatoire tolérance de 1 cm. *Points particuliers dans le type* : signes caractérisés de malformation osseuse ; conjonctive trop apparente, fouet défectueux. ROBE : couleur et texture de fourrure non conformes au standard ; œil jaune ou vairon ; truffe ou paupières ladrées. CARACTÈRE : agressivité.

ANOMALIES

Prognathisme inférieur ou supérieur ; déformations congénitales ; entropion, ectropion ; monorchidie, cryptorchidie.

D. et S. Simon

à la fin du XIXᵉ siècle —, selon laquelle la présence des Spaniels outre-Manche remonte au moins au XIVᵉ siècle. Cet éminent spécialiste assure, en effet, que des peintures et des gravures de cette époque, notamment dans des châteaux écossais, mettent en scène des Spaniels.

Pour ce qui est de l'apparition du Cocker-Spaniel proprement dit, elle est bien sûr beaucoup moins ancienne. Il faut savoir en effet que, pendant fort longtemps, les amateurs se contentèrent de la seule appellation de Spaniel pour désigner toute une gamme de chiens, plus ou moins grands, lourds ou légers, de chasse ou de luxe, alors qu'il existait, à côté des Spaniels communs dont le descendant le plus direct est le Springer actuel, des Spaniels de taille plus réduite et des Spaniels véritablement miniatures (toys) et considérés comme des chiens d'agrément. Les cynophiles britanniques n'admettaient alors de distinguer que les Land-Spaniels (employés sur terre) et les Water-Spaniels (travaillant à l'eau). Si ce dernier type n'est plus aujourd'hui représenté que par une seule race (irlandaise), le Land-Spaniel n'allait cesser de se diversifier jusqu'au XXᵉ siècle.

G. Lacz

G. Lacz

morphologie qui le rendait inapte à la chasse tout en ne faisant pas de lui un animal de compagnie, si bien qu'il faillit disparaître au lendemain de la Première Guerre mondiale, le Kennel Club en suspendant même les inscriptions en 1919.

Parallèlement, le Cocker allait, lui, se faire une belle place au soleil : chasseur très actif, passionné, endurant, « grouillant » — pour employer l'expression qui caractérise le mieux son tempérament —, il fut rapidement apprécié par de nombreux Britanniques, tant pour traquer le gibier que pour être un charmant compagnon à la maison.

Il est clair que le Cocker a bénéficié du gros travail effectué par des éleveurs britanniques à la fin du siècle dernier et au début du nôtre, afin d'accentuer et de fixer les caractéristiques différenciant nettement chaque Spaniel. Certains reproducteurs jouèrent un grand rôle dans cette œuvre de sélection, notamment Ted Obo, né en 1879 et appartenant à Mr. Farrow, lequel fit beaucoup pour l'épanouissement de la race. Aux États-Unis, où un club fut fondé en 1881, de nombreux sujets furent importés, parmi lesquels figuraient en bonne place des descendants du déjà célèbre Obo.

La rapidité et l'ampleur du succès du Cocker aux États-Unis et au Canada suscitèrent d'ailleurs quelques désaccords sur l'évolution de la race entre éleveurs anglais et américains, ces derniers voyant dans le Cocker exclusivement un chien d'exposition et de compagnie. Récusant le point de vue américain, les Britanniques voulurent laisser au Cocker son double rôle de chasseur et de compagnon. Pour ce faire, ils durent lui assurer une solide position officielle, en faisant appel, notamment, aux autorités qui veillaient sur le devenir du monde canin : en 1893, le Kennel Club

Double page précédente : excellents retrievers et broussailleurs, les Cockers-Spaniels sont des chasseurs nés, même s'ils sont davantage appréciés aujourd'hui comme chiens de compagnie.
Ci-dessus : toilette, brossage ou peignage font partie de la vie quotidienne du Cocker...

À partir de 1859, en effet, les choses allaient se préciser : nombre d'amateurs, tout au moins dans les expositions, séparèrent les Land-Spaniels en deux groupes : les Land-Spaniels proprement dits et les Field-Spaniels.

Il fallut cependant attendre 1883 pour que le Cocker fût reconnu comme une race à part entière. Le critère de poids joua alors un rôle fondamental, puisque celui du Cocker-Spaniel devait être inférieur à 25 livres, alors que celui du Field-Spaniel ne pouvait être que supérieur. Mais il existait un autre élément de différenciation : tandis que le Cocker, grâce à sa petite taille, pouvait pénétrer dans les fourrés et les haies les plus épais, au Field étaient dévolus les terrains découverts. Subissant les effets d'une mode croissante en Grande-Bretagne où les expositions devenaient des événements mondains, le Field-Spaniel devait ainsi rapidement évoluer vers un type bas sur pattes et long de corps, ressemblant davantage à un Basset qu'à un Spaniel, une

LE TOILETTAGE DU COCKER

Le toilettage du Cocker n'est pas très compliqué : l'amateur peut exécuter lui-même brossages et peignages, très soigneux et réguliers, le poil mort et disgracieux devant être arraché de façon systématique.

Outre son intérêt esthétique, ce toilettage concourt à la bonne santé du chien, en évitant en particulier les maux d'oreilles et les blessures dus à des épillets.

Il importe de bien débuter avec un jeune chien : son poil mort ne doit surtout pas être coupé aux ciseaux ou tondu (ce qui le ferait friser à la repousse); il faut l'arracher. En particulier, le toupet sur le crâne du puppy de six mois doit être régulièrement épilé, pour qu'il laisse place à un poil lisse et brillant.

Le poil à l'intérieur de l'oreille doit également être arraché, mais on peut aussi utiliser des ciseaux crantés. Le poil du tiers supérieur de la partie externe de l'oreille sera désépaissi à l'aide des mêmes ciseaux crantés.

D'une façon générale, on épile toutes les régions devant présenter un poil court et lisse, pour mettre en valeur jabot, culottes, franges aux membres antérieurs et aux oreilles; on préférera cependant les ciseaux aux endroits sensibles, comme le dessous de l'encolure.

Les poils situés autour des pieds et en dessous ainsi qu'aux espaces interdigitaux seront taillés, ce qui donne un aspect plus net tout en empêchant l'incrustation d'épillets.

Le Cocker peut être baigné sans inconvénient tous les deux ou trois mois, après un démêlage du poil (sinon les nœuds se resserreraient au séchage et deviendraient très difficiles à enlever).

L'éleveur spécialiste et le Club de race sont à même de donner à l'acheteur néophyte tout conseil au sujet du toilettage. Il existe aussi des toiletteurs professionnels compétents.

D. et S. Simon

Il se dégage des Cockers, petits ou grands, une élégance qui n'est pas étrangère au succès rencontré par la race dans les années soixante-dix.

commença donc à enregistrer des représentants de la race, et, vers 1900, un standard fut défini. Le Cocker fit vite la démonstration de ses qualités, trustant les succès dans les premiers field-trials, où tous les Spaniels concouraient. Un club fut fondé en 1904. Parmi les premiers inscrits figuraient Bebbe, l'ancêtre présumé des Cockers rouges, et les sujets de l'éleveur H. S. Lloyd dont l'affixe « of Ware » est resté célèbre.

La France ne fut pas en reste pour adopter le petit Cocker : les premiers spécimens furent inscrits au LOF dès 1885. Puis, en 1898, autour de Paul Caillard, fervent promoteur de la race, le Spaniel Club français fut créé (lequel se révèle ainsi une des plus anciennes associations de races existant encore de nos jours), et, en 1904, un standard fut rédigé.

Les amateurs de l'époque, très anglophiles, ne tarissaient pas d'éloges sur les races anglaises, avec quelque raison puisque que, dans les premiers field-trials organisés en France, elles démontraient de façon éclatante d'évidentes qualités, notamment une quête rapide et une très grande finesse de nez. Par son caractère polyvalent, le Cocker a séduit ainsi bon nombre de chasseurs français qui, à la différence de leurs collè-

BILAN DE SANTÉ

Le Cocker est un chien solide, rustique même, dont le bilan de santé est en règle générale tout à fait positif. Il a cependant un point faible : les oreilles; implantées bas, pendantes, longues, garnies de longs poils, elles touchent presque terre du fait de la petite taille du chien — ce qui fait qu'elles recueillent des épillets, épis de graminées très durs pouvant endommager l'oreille interne.

Une protection, très empirique, consiste à boucher les oreilles avec du coton lors des promenades — ce que l'intéressé appréciera plus ou moins! Mais il est naturellement bien préférable d'épiler régulièrement la face interne et l'entrée du conduit auditif. Une telle précaution préviendra, en outre, la propension du Cocker au catarrhe auriculaire : ses oreilles constituent en effet une zone chaude, humide, mal aérée, donc un terrain très propice à la prolifération des microbes. Un examen régulier de cette région est recommandé, à rééditer au moindre signe de gêne (le chien se gratte, secoue fréquemment la tête), ce qui permettra au vétérinaire, le mal ayant été détecté à son début, d'enrayer rapidement l'inflammation (qui pourrait aboutir à des lésions).

Il faut par ailleurs se préoccuper de l'hygiène alimentaire, en mettant à la disposition du Cocker des écuelles étroites, où il ne pourra pas tremper et souiller ses oreilles. De plus, les replis de sa lèvre inférieure, retenant fréquemment des déchets, seront régulièrement nettoyés pour éviter une inflammation de cette zone (chéilite). Le Cocker est souvent gourmand, voire boulimique : son alimentation doit donc être très équilibrée. On le rationnera s'il a tendance à l'obésité, cas trop fréquent chez les Cockers sédentaires.

Depuis quelque temps, les vétérinaires notent chez le Cocker une augmentation des difficultés ophtalmologiques; certaines pouvant prendre une tournure grave, il faut intervenir rapidement en cas d'irritation, signalée par un œil très rouge.

gues d'outre-Manche, ne peuvent en général se permettre d'avoir à la fois un chien d'arrêt et un autre pour le rapport, voire un chien pour la plaine et un autre pour le bois.

Pendant longtemps, les Cockers les plus répandus sur notre sol furent blanc et marron ou blanc et noir, tout d'abord parce que la robe blanche était la plus visible (détail d'importance pour un chien destiné, durant les périodes de chasse, à évoluer dans les fourrés). Les bleu et noir étaient en revanche très appréciés des amateurs d'exposition, ce qui ne les empêchait pas de participer aux field-trials. Ces chiens étaient en outre de fort petite taille, le célèbre cynologue Paul Mégnin écrivant en 1923 qu'ils ne dépassaient pas 30 centimètres au garrot (ce qui correspond d'ailleurs aux 25 livres déjà indiquées!).

Le gabarit du Cocker allait cependant peu à peu s'agrandir, en particulier en Grande-Bretagne, grâce à une alimentation plus complète mais aussi par souci d'efficacité dans les field-trials. À telle enseigne que, après la Seconde Guerre mondiale, les éleveurs français qui voulurent importer des sujets britanniques pour remonter leur cheptel décimé constatèrent que ces chiens faisaient 45 centimètres au garrot, voire plus. Le président du Spaniel Club français, le docteur Paul, demanda alors aux instances britanniques de revoir le standard de la taille (à la baisse), pour que le Cocker pût mériter vraiment sa réputation de « plus petit Spaniel de chasse ». Ce qui fut fait, évitant ainsi au Cocker de devenir, comme le craignait René Gravigny, « un Setter en réduction ».

Aujourd'hui, le Cocker a conquis le monde entier : populaire dans tous les pays d'Europe occidentale, il l'est également à l'est, et même en Union soviétique. J. Guerville-Sevin, appelée souvent à juger à l'étranger, a pu noter que, lors d'expositions organisées à Moscou et en Pologne, les classes de Cockers comptaient entre 100 et 300 sujets — c'est-à-dire autant sinon plus que dans nos pays! Le Cocker s'est même parfaitement adapté en des contrées lointaines, puisqu'il fait partie des deux ou trois races préférées en Argentine et en Australie.

D. et S. Simon

COMPORTEMENT

Il est bien certain que le Cocker doit sa popularité quasi universelle plus à sa vocation de chien de compagnie qu'à son rôle de chasseur, qui n'est vraiment apprécié que dans les milieux concernés. Mais cette popularité, qui le met à la première place des chiens de compagnie (statut qu'il a pris en France dans les années soixante-dix), a de graves inconvénients : la diffusion de la race ne peut, en effet, compte tenu du nombre de chiens mis en circulation, qu'échapper au Club de race et aux éleveurs compétents. D'où d'inévitables dérapages, lorsque des particuliers, sans connaissances spéciales, se mettent à élever des Cockers, plus dans le dessein d'arrondir leurs fins de mois que par passion, tandis que des marchands sans scrupules font de cette race un commerce très lucratif. La conséquence est inévitable : parmi cette population canine ne subissant aucun contrôle, dont une grande partie ne mérite d'ailleurs pas le nom de Cocker, on a vu apparaître des chiens agressifs, pouvant mordre sans prévenir, notamment parmi les pseudo-Cockers rouges qui furent

longtemps les plus populaires, donc les plus répandus. La race a ainsi durablement souffert d'une réputation — injustifiée — d'agressivité.

Aujourd'hui, heureusement, le Cocker a perdu de sa popularité... En disant cela, on ne cultive pas le goût du paradoxe, mais, simplement, on se réjouit de voir la race contrôlée par des éleveurs sérieux, l'examen de confirmation jouant son rôle en éliminant de la reproduction les sujets au comportement déséquilibré. Il faut d'ailleurs préciser qu'un tel comportement a pu, dans bon nombre de cas, être dû à un environnement exclusivement citadin et à l'absence d'exercice. Il ne faut jamais oublier que le Cocker est viscéralement un chien de chasse, qui a donc beaucoup d'énergie à dépenser, et qu'un type de vie par trop éloigné de sa destination primitive ne peut que lui être préjudiciable. De par son héritage génétique, ce chien est fait pour « travailler » ; à défaut, il lui faut une activité de substitution et un espace vital adaptés à son influx, à son dynamisme.

D'aucuns se sont cependant demandé si le Cocker avait toujours sa place parmi les chasseurs. La réponse est fournie par l'attitude d'un Cocker qui, sorti d'un confortable salon, se retrouve sur un terrain de chasse. Veut-on un bon retriever? Le Cocker répond présent : rapporter un gros capucin (lièvre) ne lui fait pas peur. Chez lui, le rapport est inné et ne peut gêner le dressage à l'arrêt, puisqu'il n'est pas chien d'arrêt, mais « broussailleur ». C'est-à-dire qu'il lève le gibier et l'oblige à s'enfuir, même s'il s'est caché dans le buisson le plus inextricable. Et le Cocker ne craint aucun roncier, son petit gabarit lui permettant même d'emprunter la coulée du lapin. Cette espèce a d'ailleurs représenté, à l'époque où elle pullulait, le gibier

G. Latz

se fait rare, car c'est souvent un « trouveur » plein d'astuce, pressentant le gîte du gibier avant même d'en avoir perçu les effluves.

Si un « cockerman » expérimenté peut tirer la quintessence de son chien, en étonnant bien des possesseurs de grands chiens, même en terrain découvert, le Cocker-Spaniel est aussi à conseiller en priorité au chasseur n'ayant pas encore travaillé avec un chien ou n'ayant qu'une expérience limitée du dressage canin : même sans avoir été dressé au rapport, il suffit que le chien connaisse le rappel pour se révéler un auxiliaire très efficace. De plus, le Cocker est le chien rêvé du chasseur citadin : il voyage facilement, n'est jamais dépaysé, garde avec conviction le carnier ou la maison. Ne se montrant encombrant ni en voiture ni à l'hôtel, ce chien au caractère espiègle et affectueux devient vite la fierté de la maîtresse de maison par son indéniable élégance et conquiert les enfants par son goût du jeu ; il ne faudrait cependant pas le prendre pour un chien d'appartement.

Le Cocker, comme tous les chiens, doit être respecté — ce qui suppose qu'on ne le considère pas comme un simple objet décoratif ou amusant. Fort heureusement, le temps est passé où un certain snobisme faisait acheter un Cocker sans se préoccuper de son caractère, de son toilettage, de son besoin d'exercice et de grand air. Aujourd'hui, les éleveurs sérieux ont une clientèle éclairée, constituée d'amateurs qui, ayant perdu leur compagnon après quinze ans d'une vie riche de joies partagées, veulent rester fidèles à la race et

Page de gauche : sans égal pour « bourrer » le garenne, le Cocker est également efficace face aux « coureurs », notamment le faisan. Ci-dessus : le Cocker ne se sentira bien à la maison que si son maître lui réserve de longues promenades.

d'élection du Cocker — ce qui a séduit nombre de chasseurs aux moyens modestes. En Sologne, ou dans les régions au maillage serré de haies denses, ce chien n'a pas son égal pour « bourrer » le garenne et le lancer devant le chasseur. Mais il se montre tout aussi efficace contre le faisan et les autres « coureurs », qu'il surprend par sa vivacité et contraint à s'envoler. Caille, perdreau, bécasse bien sûr — sa spécialité —, aucun gibier ne lui est inaccessible ; il a ainsi la réputation d'être incomparable pour retrouver l'alouette tirée, cachée au plus profond d'un fourré. Sa toison le protège bien du froid, de l'épine, de la ronce ou du roseau tranchant. Et, comme il est bon nageur, c'est aussi un précieux retriever au marais, à l'étang ou en rivière.

Le Cocker possède, en fait, une remarquable faculté d'adaptation : il n'est pas de situation qui puisse le laisser sans ressources : il est un excellent auxiliaire dans les battues, mais, à l'heure où la « chasse devant soi » paraît retrouver une grande popularité, tandis que les petites chasses sont encore la grande majorité, on apprécie ses talents de leveur de gibier plein d'allant, s'activant sans jamais se décourager à 25 mètres du fusil. Il ne laisse guère passer de pièces : son nez très fin le pousse à explorer chaque mètre de haie, le moindre buisson, qu'il investit avec détermination. Il est d'ailleurs d'autant plus utile en ces temps où le gibier

LE COCKER-SPANIEL EN CHIFFRES

Le Cocker-Spaniel, qui fut un des principaux bénéficiaires du grand « boom » canin des années soixante-dix en France, est aujourd'hui la principale victime de l'augmentation de l'éventail des chiens de compagnie peu encombrants. Pendant longtemps, on a choisi un compagnon, de plus en plus citadin — compte tenu de l'évolution de la société —, parmi les plus petites races de chasse : ce fut la vogue du Fox-Terrier, de l'Épagneul Breton, des Teckels et du Cocker. Mais le public, découvrant peu à peu de nombreuses autres petites races, plus rares, exotiques, étonnantes, à vocation de compagnie plus affirmée, se détourna progressivement des petits chiens de chasse. Le Cocker souffre également aujourd'hui de la dure concurrence qui existe sur le marché du chien de chasse (marché d'ailleurs loin d'être en expansion), où sont favorisés actuellement les Retrievers, pour les battues, mais aussi les races de chiens d'arrêt trustant les titres de champions en field-trials.

La chute de popularité du Cocker a donc été spectaculaire. De 7 466 en 1970, le nombre des naissances enregistrées au LOF est tombé à 4 877 en 1980, puis à 2 527 en 1987. Et, de la 2e place au box-office des races comptant le plus de naissances, il est passé à la 12e actuellement.

Depuis quatre ans, cependant, le nombre des naissances s'est stabilisé : indice que la race va bientôt terminer sa période de purgatoire et conquérir, vu ses qualités, un nouveau public. Sur des bases heureusement assainies...

En Grande-Bretagne, les effectifs de la race, plus importants qu'en France, se situent aux alentours de 80 000, et la tendance à la diminution, certes réelle, y est moindre : 9 415 inscriptions au Kennel Club en 1977 et 6 490 en 1987. À noter que le Springer-Spaniel subit une évolution sensiblement parallèle.

Aux États-Unis, où triomphe le Cocker Américain, le Cocker, appelé là-bas English Cocker-Spaniel, a des partisans affirmés, mais peu nombreux. Certes, ses effectifs peuvent nous paraître relativement importants — environ 12 000 sujets —, mais il faut les replacer dans le contexte de ce pays : plus d'un million de chiens de race sont inscrits chaque année à l'American Kennel Club.

LES COUSINS

Parmi la nombreuse famille des Spaniels, quatre cousins du Cocker se détachent : le Cocker Américain, les deux Springers et le Field-Spaniel.

Le Cocker Américain n'est pas moins Cocker que l'Anglais : leur différenciation ne s'est pas faite par l'apport d'autres races, mais par suite de sélections divergentes. Alors que les éleveurs anglais recherchaient un type de chasse (museau allongé pour rapporter sans peine le gibier, fourrure protectrice sans être touffue au point de retenir l'animal prisonnier des ronciers, taille suffisant pour battre la forêt ou les friches avec endurance), leurs homologues américains firent rapidement de leur Cocker un chien d'exposition et de luxe. Sa silhouette fut modifiée — il est un peu plus petit et court —, sa fourrure s'allongea et s'épaissit, son crâne s'arrondit en dôme et son museau se raccourcit. Aux États-Unis, où il est considéré depuis 1945 comme une race distincte (il l'est depuis 1940 au Canada), ce chien — logiquement appelé Cocker Américain ailleurs — est dénommé Cocker-Spaniel, alors que, dans les autres pays, cette appellation est réservée au Cocker, c'est-à-dire à l'English Cocker-Spaniel. C'est le chien le plus populaire outre-Atlantique, devant le Caniche, le Labrador et les chiens de défense. Introduit en France en 1956, il commence à y être connu.

Le Springer Anglais (English Springer-Spaniel) est le plus ancien des Spaniels. Nettement plus grand que le Cocker (51 cm environ pour un poids d'une bonne vingtaine de kilos), il est moins lourd que les Clumber-Spaniels et les Sussex-Spaniels. Il est surtout resté un Spaniel de chasse, alors que d'autres races devenaient chiens de compagnie ou fréquentaient expositions et field-trials. C'est un chasseur très réputé, aux aptitudes similaires à celles du Cocker, mais son gabarit plus grand le rend encore plus actif et endurant, et l'avantage en terrains découverts et au marais. Il a cependant acquis, en Grande-Bretagne, un rôle de compagnie non négligeable (ses effectifs, en ce domaine, sont presque égaux à ceux du Cocker).

La couleur du Springer Anglais est considérée comme de peu d'importance, mais il est le plus souvent blanc et marron ou encore blanc et noir.

Le Springer Gallois (Welsh Springer-Spaniel), beaucoup moins répandu, ne doit sans doute pas être considéré — contrairement à ce que laisserait croire son nom — comme une variété galloise du précédent. D'origines fort anciennes, il est de couleur exclusivement blanc et rouge, de morphologie un peu plus légère que le Springer Anglais ; il a une oreille caractéristique, nettement moins longue que celle des autres Spaniels et en forme de feuille de vigne.

Le Field-Spaniel, très rare même en Grande-Bretagne, s'est séparé du Cocker en 1873. Alors que les éleveurs de Cocker s'attachaient à obtenir un chien grouillant et de petite taille, les partisans du Field transformèrent cette race en un basset assez lourd, au corps très long (au début du siècle, son ventre touchait pratiquement terre). Après avoir presque disparu, la race a été reconstituée selon un modèle beaucoup mieux construit : il mesure 46 cm environ au garrot, pour un poids de 16 à 22,5 kg, et sa tête est racée et allongée.

Sa robe unicolore (noire, rousse, acajou, foie doré, rouannée), pouvant présenter parfois des marques feu, lui donne fière allure. Son caractère calme, doux et gentil en fait un compagnon très agréable, mais il est aussi chien de chasse : il concourt avec le Cocker... et se défend bien.

---

viennent chercher un chiot de bonne origine. C'est qu'ils éprouvent tous l'enthousiasme de J. Guerville-Sevin qui, faisant le portrait du Cocker, célèbre avec lyrisme « le parfait équilibre de sa construction, la splendeur de sa tête au crâne doucement arrondi, illuminée par des yeux d'odalisque, encadrée par de longues oreilles, sa démarche souple et aisée, son ossature solide mais jamais lourde, sa peau souple et fine ».

Grand est le choix des couleurs, puisqu'elles sont toutes admises pour la race (à l'exception du blanc pur et des unicolores « mal marqués ») ; si, aujourd'hui, le rouge, le doré, le noir sont moins fréquents, on voit beaucoup de bleu rouan et de noir et feu, tandis que le crème et les tricolores sont très recherchés.

Sur le plan médical, le Cocker ne pose pas de problèmes particuliers, et sa longévité est même supérieure à la moyenne. Cependant, oreilles et babines requièrent quelque surveillance. Pour être en bonne forme, un Cocker doit être promené souvent et assez longuement — c'est-à-dire que deux ou trois petites sorties

La séduction innée du Cocker (ci-contre) a tout naturellement influencé les dessinateurs pour en faire un héros de bandes dessinées (ici, Boule et Bill).

G. Lacz

quotidiennes ne sont pas suffisantes ; le chien appréciera hautement de bonnes et sportives balades campagnardes, aussi fréquentes que possible.

En respectant ces quelques prescriptions, le maître aura un chien gai, vif, lui manifestant un attachement éperdu, quasi exclusif, sachant être, selon les circonstances, clown, séducteur (avec son fameux regard mouillé) ou taquin — bref, la parfaite incarnation de Bill, le Cocker héros de la célèbre bande dessinée *Boule et Bill* (qui a décidé nombre d'enfants à demander un Cocker !).

Jean Roba SPRL (©) Dargaud, Benelux

...ON PEUT DIRE QUE LES COCKERS SONT INTELLIGENTS !

COLLIE

LE MAÎTRE IDÉAL

Le Collie a besoin d'un maître patient, intuitif et psychologue, le contraire de
fantasque, laxiste, versatile ou impulsif : son équilibre et son bonheur en dépendent.
Il sera le compagnon d'une personne dynamique et sûre de soi, ou d'un sportif.
Précisons qu'un mode de vie urbain ne lui dit rien qui vaille. Son éducation — douce
mais ferme — doit être entreprise de bonne heure, moyennant quoi
il s'attachera à prouver qu'il est un modèle d'obéissance et d'intelligence.

D. et S. Simon.

Portrait du Collie

GROUPE	premier
SECTION	chiens de berger
HAUTEUR AU GARROT	de 51 à 56 cm pour les femelles, de 56 à 61 cm pour les mâles
POIDS	de 18 à 24 kg pour les femelles, de 20 à 29 kg pour les mâles
ROBE	zibeline et blanc, tricolore, bleu merle
POIL	à poil long ou à poil court
DIFFUSION	plusieurs dizaines de milliers en France (de 25 000 à 30 000)
DURÉE DE VIE MOYENNE	douze ans
CARACTÈRE	affectueux, fidèle, calme
RAPPORTS AVEC LES ENFANTS	excellents
RAPPORTS AVEC LES AUTRES CHIENS	bons
RAPPORTS AVEC LES AUTRES ANIMAUX	fondés sur l'éducation
RAPPORTS AVEC LES CHATS	fondés sur l'éducation
APTITUDES	compagnie, garde
ESPACE VITAL	a besoin d'espace pour dépenser son énergie
ALIMENTATION	1 kg d'aliments humides par jour
TOILETTAGE	brossage régulier (hebdomadaire)
PRIX D'ACHAT	✱✱
COÛT D'ENTRETIEN	moyen

ORIGINE ET HISTOIRE

Originaire de basse Écosse, où il resta longtemps confiné, le Colley, ou Collie, connu également sous le nom de Berger d'Écosse, est probablement issu d'un croisement entre une variété autochtone de Chien des Tourbières (appelé « chien de l'âge du bronze » par les auteurs anglo-saxons) et des chiens de berger importés par les Romains en Bretagne (ancien nom de la Grande-Bretagne), au Ier siècle de l'ère chrétienne. Puis, au Moyen Âge, lorsque les Angles et les Saxons, d'origine germanique, s'implantèrent en conquérants dans l'île, ils apportèrent avec eux des chiens dont le sang concourut à son tour à forger une race de chiens de berger.

Si l'origine du mot « Colley » peut susciter bien des débats (voir encadré), il est plus que probable qu'il dut longtemps s'appliquer à diverses variétés de chiens de berger. En témoigne le poète Chaucer qui, dans ses *Contes de Cantorbéry,* semble s'adresser à un chien de troupeau mal défini, lorsqu'il écrit : « Cours, Coll, notre chien, et toi Talbot, et toi Gerlond. » (Talbot est le chien courant, Gerlond le Lévrier et Coll le chien de berger.) Ou bien encore Shakespeare, au XVIe siècle, qui, lui, évoque un « Colley dog », mais sans autre précision…

Ce n'est qu'en 1792 qu'une gravure sur bois reproduite dans l'ouvrage de Bewick, *Histoire des quadrupèdes,* représente de manière précise un chien de berger de type Colley nettement individualisé. Puis, en 1808,

COLLIE

Les Races de Chiens du comte H. de Beylandt/Coll. G.G.E.A.

Les Races de Chiens du comte H. de Beylandt/Coll. G.G.E.A.

D'OÙ VIENT LE MOT COLLEY ?

Le terme Colley suscite bien des passions auprès des scientifiques, et plus particulièrement auprès des linguistes... Selon certains, en effet, il faudrait attribuer au mot *coll*, qui signifie noir en ancien anglais — à rapprocher de *coal* (charbon) —, l'origine de l'appellation du Colley, dont les ancêtres, les chiens de berger écossais, avaient effectivement un manteau noir. D'autres sont plutôt enclins à penser que l'adjectif *coaly* ou *colley* s'appliquait aux moutons des Highlands, à tête et paturons noirs, que gardaient les chiens de berger que l'on appelait alors « Colley's dogs ». Ce sur quoi tout le monde semble d'accord, c'est que le mot Colley désigna, tout au moins jusqu'au début de la cynophilie anglaise, à la fin du XIXᵉ siècle, diverses races bergères présentes outre-Manche.

Bingley décrit dans son *Histoire naturelle* le « chien de troupeau écossais », en illustrant son propos d'une reproduction d'un tableau de Hawitt montrant un chien à tête allongée, au poil long, avec une large collerette blanche et une queue touffue. À partir du tout début du XIXᵉ siècle, la variété « Colley » peut donc être identifiée sans ambiguïté au sein de l'ensemble des Bergers britanniques. Cette époque, en effet, est marquée par la volonté des premiers cynophiles de mettre un peu d'ordre parmi les chiens de berger évoluant sur les terres anglaises, et ils commencent à sélectionner les sujets, non pas selon des critères esthétiques — comme cela se fera par la suite —, mais selon leur aptitude au travail, notamment pour la garde du troupeau. Darwin cite d'ailleurs en exemple les belles facultés de travail du Colley.

Et il est vrai que ce chien se révèle un auxiliaire précieux pour l'homme : emmenant seul les bêtes au pâtu-rage, les gardant, les ramenant sans avoir besoin de la présence du maître, il peut encore, au moment de la tonte, aller chercher le bétail dispersé, en totale liberté sur les territoires incultes des Highlands, ou bien montrer son savoir-faire dans les fêtes populaires, lorsqu'il a à rechercher et à ramener dans un parc trois moutons qu'on a dissimulés dans la montagne...

Au cours du siècle dernier, la célébrité du Collie franchit les frontières de l'Écosse, et on retrouve dès lors la race dans tout le monde anglo-saxon : en Nouvelle-Zélande, où elle fait merveille pour garder les immenses troupeaux lâchés dans la nature ; en Afrique du Sud, où les colons anglais désespèrent de faire régner la discipline dans leurs troupeaux d'autruches — lesquelles seront rapidement mises au pas par les Collies...

Pour ce qui est du type actuel du Colley, nombre de cynophiles ont expliqué qu'il est essentiellement dû au croisement entre de rustiques chiens de berger et d'aristocratiques Setters et Barzoïs (la noblesse anglaise importait au XIXᵉ siècle des Lévriers russes); et ils n'ont pas forcément tort, si l'on admet que, au hasard de rencontres à la frontière des zones de pacage et des parcs nobiliaires, de brèves unions ont pu se réaliser, permettant à la race d'affiner son profil tout en conservant son aptitude ancestrale à la garde...

Il est difficile d'affirmer que les chiens présentés dans les expositions britanniques dès 1860 sont bien des Collies. Il est certain, en revanche, que, à partir de 1871, le type est présent chez plusieurs champions — notamment Charlemagne, né vers 1879, qui a légué son sang à de nombreux champions actuels.

Entre-temps, grâce à sa présentation élégante, grâce à sa superbe fourrure et à son allure pleine de noblesse, le Collie n'a pas eu beaucoup de mal à réussir pleinement sa reconversion. Devenu un véritable chien de salon volontiers hautain, il n'intéresse alors plus seulement les rugueux Highlanders, mais également les habitués des demeures de l'aristocratie britannique : la reine Victoria elle-même, séduite par la race lors d'un séjour qu'elle fit à Balmoral, en ramènera plusieurs sujets à Windsor. Cette reconnaissance de toutes les classes de la société va inciter les cynologues anglais à rédiger un standard en 1881, lequel sera révisé en 1898, puis de nouveau en 1910. Il faudra cependant

Coll. G. Troussier

LASSIE, CHIEN FIDÈLE

Voulant exploiter, dans les années quarante, le sentimentalisme du public américain, la Metro Goldwyn Mayer décide de produire un film dont la vedette principale serait un chien (les enfants et les animaux sont traditionnellement des sujets qui plaisent, aux États-Unis). Un dresseur, Rud Weatherwax, voyant là l'occasion d'une bonne affaire, achète alors une chienne Colley, nommée Pal, née en 1941 dans les environs d'Hollywood. Cette chienne, sensible et expressive, passe, avec trois cents autres chiens, les tests destinés à sélectionner l'animal qui sera utilisé pour les besoins du film. Pal, spécialement entraînée par son dresseur dans la perspective du film, joue à la perfection lors du bout d'essai (il lui faut traverser une rivière à gué et s'effondrer, en ayant l'air totalement épuisée, sur l'autre rive). La chienne est donc

choisie par la Metro Goldwyn Mayer, qui la rebaptise Lassie pour les besoins du film *Lassie, chien fidèle* (*Lassie come home* en anglais).

Lassie deviendra une des plus grandes comédiennes à quatre pattes du cinéma. Après le succès magistral du film, pendant le tournage duquel elle était payée 500 francs par semaine, son maître obtient pour elle un contrat de sept ans, avec un salaire hebdomadaire de 1 800 francs, qui passera à 8 000 francs après son troisième film.

Comme toutes les vedettes, Lassie a son appartement, son maquilleur et ses doublures pour les scènes périlleuses. Lorsqu'elle mourra de vieillesse, la maison de production, catastrophée, cachera la nouvelle pour ne pas attrister le public, et c'est une des filles de Lassie qui la remplacera. Cinq « Lassie » — dont un mâle ! — se sont ainsi succédé sur les écrans. Pour le plus grand plaisir d'un public attendri.

STANDARD DU COLLEY À POIL LONG (COLLIE ROUGH

ASPECT GÉNÉRAL ET CARACTÉRISTIQUES

Le Colley doit séduire par sa grande beauté, son attitude digne et impassible, aucune partie du corps n'étant disproportionnée par rapport à l'ensemble. Sa construction est caractérisée par la force et l'activité ; elle ne doit pas être lourde ni, en aucune façon, grossière. L'expression est des plus importantes. Tout bien considéré, elle est le résultat de l'équilibre parfait et de l'harmonie du crâne et du chanfrein, de la dimension, de la forme, de la couleur et de la position des yeux, de la position correcte et du port des oreilles. Le Colley doit être de tempérament amical, jamais craintif ni agressif.

TÊTE ET CRÂNE

Les caractères de la tête sont d'une grande importance et doivent être considérés par rapport à la taille du chien. Vue de face ou vue de profil, la tête a la forme d'un coin bien dessiné, nettement tronqué, au contour lisse. Le crâne est plat. Les côtés de la tête vont en diminuant graduellement et sans heurt des oreilles à l'extrémité de la truffe noire, sans saillie des zygomatiques et sans museau pincé. De profil, la partie supérieure du crâne et la partie supérieure du museau offrent deux droites parallèles d'égale longueur, divisées par un stop (ou dépression) léger mais perceptible. Le point situé à égale distance des commissures internes des yeux (et qui est le centre d'un stop correctement placé) constitue le centre de la médiane de la tête. L'extrémité du museau lisse et bien arrondi est tronquée, mais jamais carrée. La mâchoire inférieure est forte, nettement dessinée. La hauteur du crâne, mesurée de l'arcade sus-orbitaire à la région sous-maxillaire, n'est jamais excessive (prise à la verticale). La truffe est toujours noire. *Yeux* : ils constituent une caractéristique très importante en donnant au chien une expression de douceur ; ils sont de dimensions moyennes (jamais très petits), disposés quelque peu obliquement ; ils sont en forme d'amande, et de couleur brun foncé, sauf chez les bleus merle dont les yeux (un œil ou les deux yeux) sont fréquemment bleus ou tachés de bleu ; l'expression est pleine d'intelligence et, lorsque le chien est attentif, le regard est vif et éveillé. *Oreilles* : elles sont petites et pas trop rapprochées au sommet du crâne ni trop écartées ; au repos, elles sont portées en arrière mais, quand le chien est attentif, elles sont ramenées vers l'avant et portées semi-dressées, c'est-à-dire que l'oreille est dressée approximativement dans ses deux premiers tiers tandis que le tiers supérieur retombe naturellement vers l'avant, au-dessous de l'horizontale. *Mâchoires* : les dents sont de bonne taille ; les mâchoires sont fortes et présentent un articulé en ciseaux parfait, régulier et complet, c'est-à-dire que les incisives supérieures recouvrent les inférieures dans un contact étroit et sont implantées bien d'équerre par rapport aux mâchoires.

COU

Le cou doit être musclé, puissant, de bonne longueur et bien galbé.

AVANT-MAIN

Les épaules sont obliques et bien angulées. Les membres antérieurs sont droits et musclés. Ils ne sont ni rentrés ni sortis au niveau des coudes, et les os sont ronds et modérément développés.

CORPS

Le corps est un tantinet long si on le compare à la hauteur au garrot. Le dos est droit et bien soutenu, avec une légère montée au niveau du rein. Les côtes sont bien cintrées. La poitrine est haute et assez large derrière les épaules.

ARRIÈRE-MAIN

Les membres postérieurs sont musclés au niveau des cuisses. Plus bas, ils sont bien dessinés et nerveux. L'articulation du grasset est bien coudée. Les jarrets sont bien descendus et puissants.

PIEDS

De forme ovale avec de bons coussinets ; les doigts sont cambrés et serrés. Les pieds postérieurs sont légèrement moins cambrés.

QUEUE

Le fouet est long, et les vertèbres caudales atteignent au moins l'articulation du jarret. Il est porté bas quand le chien est calme, mais l'extrémité se relève légèrement en courbe. Quand le chien est en action, le fouet peut être porté gaiement mais jamais sur le dos.

ALLURES - MOUVEMENT

L'allure est caractéristique de cette race. Un Colley qui a de bonnes allures n'a jamais les coudes sortis, et pourtant, en action, ses pieds antérieurs sont relativement rapprochés. Il ne doit absolument pas tricoter, croiser ni rouler dans ses allures. Vus de derrière, les membres postérieurs, de l'articulation du jarret au sol, doivent être parallèles mais pas trop serrés. Les membres postérieurs sont puissants et donnent beaucoup d'impulsion. De profil, l'allure est unie. On recherche un pas raisonnablement long ; il doit être léger et sembler tout à fait facile.

POILS

Il épouse les contours du chien. Il est très dense. Le poil de couverture est droit et dur au toucher. Le sous-poil est doux, dense comme de la fourrure et très serré, presque au point de cacher la peau. La crinière et le jabot sont très abondants. Le poil est lisse sur le museau, de même qu'à l'extrémité des oreilles. Il y a davantage de poil vers la base de l'oreille ; les membres antérieurs sont bien pourvus de franges ; les franges des membres postérieurs sont abondantes au-dessus des jarrets, mais le poil est lisse sous les jarrets. Le poil du fouet est très abondant.

COULEUR

Les trois couleurs reconnues sont : zibeline et blanc, tricolore, et bleu merle.
• *Zibeline* : tout ton, du doré clair à l'acajou intense ou au zibeline ombré ; la couleur paille clair ou crème est à proscrire.
• *Tricolore* : le noir domine avec des taches d'un feu vif aux membres et à la tête ; toute nuance rouille dans le poil de couverture est à proscrire.

D. et S. Simon

Ci-contre : plus de 4 000 Bergers d'Écosse naissent chaque année en France (ici des chiots zibeline de cinq semaines). La race est en effet très populaire dans notre pays comme dans la plupart des pays européens. Page de droite : les Collies aiment à concourir (il s'agit ici d'une exposition qui s'est tenue au Madison Square Garden à New York). Et c'est toujours avec beaucoup de plaisir que le public découvre — ou redécouvre — l'élégance de cette race d'origine bergère (double page suivante).

• *Bleu merle* : à prédominance claire, bleu argenté, éclaboussé et marbré de noir; on préférera des marques d'un feu vif, mais leur absence ne doit pas être comptée comme un défaut; de grandes taches noires, la couleur ardoise ou la nuance rouille, que ce soit dans le poil de couverture ou dans le sous-poil, sont à proscrire.

• *Marques blanches* : toutes les couleurs ci-dessus doivent porter les marques blanches typiques chez le Colley, à un degré plus ou moins élevé; les marques blanches correctes sont le collier complet ou partiel, le plastron, les marques aux membres et aux pieds, et à l'extrémité du fouet; il peut y avoir une liste blanche sur le chanfrein ou en tête ou les deux.

HAUTEUR AU GARROT

Mâles : de 56 cm à 61 cm; femelles : de 51 cm à 56 cm.

DÉFAUTS

Tout écart par rapport à ce qui précède doit être considéré comme un défaut qui sera pénalisé en fonction de sa gravité.

POINTS DE NON-CONFIRMATION

TYPE GÉNÉRAL : manque de type; toute particularité, aussi bien dans la construction générale que dans l'aspect de la tête, trahissant une infusion de sang étranger à la race ou sa résurgence; taille non comprise dans les limites du standard. *Points particuliers dans le type* : tête présentant tous défauts de parallélisme des lignes du crâne et du chanfrein (tête aux lignes convexes accusées, dite « tête de mouton », tête au profil concave : « nez en cuvette » prononcé, chanfrein busqué : « nez romain », absence totale de stop); tous défauts de proportion des rapports harmoniques de la tête (rapport 1/1); œil rond ou proéminent; oreille non conforme au standard, toute trace de manipulation chirurgicale (on peut tolérer une seule oreille redressée, s'il s'agit de celle du tatouage, à la condition qu'elle soit de forme standard, c'est-à-dire « en as de pique »); fouet écourté (ne descendant pas jusqu'à la pointe du jarret), sauf ablation partielle et accidentelle prouvée; fouet porté en position trop haute et roulé sur lui-même (« cor de chasse »); fouet couché sur le dos. ROBE : poil frisé ou trop ondulé; couleur ivoire ou platine chez le zibeline; absence totale de marques fauves chez le tricolore; dépigmentation

G. Lacz

partielle ou totale de la truffe; œil vairon (ou taché de bleu) ou jaune clair, chez le tricolore ou le zibeline.

ANOMALIES

Monorchidie, cryptorchidie. Prognathisme inférieur ou supérieur (lorsqu'il y a, dans ce dernier cas, perte de contact de plus de 2 mm). Absence de dents (sauf justificatif radiographique suite à une dent cassée) : manque d'une seule carnassière, manque de 2 dents consécutives sur le même demi-maxillaire (quelles que soient les dents), manque de plus de 2 grosses précarnassières (PM 2, PM 3) si les manques ne sont pas consécutifs. N.B. — Il sera toléré le manque d'une ou deux PM 1 (petites précarnassières) symétriquement sur un même maxillaire.

Hutzler / G. Lacz

attendre 1950 pour que le Kennel Club se décide enfin à publier un texte officiel sur le Berger d'Écosse ! Notons qu'il existe également un Colley à Poil Court, qui a récemment fait l'objet d'un standard séparé.

COMPORTEMENT

Le Collie est-il le chien fidèle incarné à l'écran par la célèbre Lassie ? Le gardien dur à la tâche qui surveillait jadis les moutons noirs d'Écosse ou le cerbère redoutable de la maison ? Le chien de salon apprécié pour sa fourrure et son attitude volontiers hautaine ? Il est en fait tout cela à la fois, d'où les avis très partagés à l'égard de la race...

Son comportement a naturellement changé au fil des décennies, à mesure que sa fonction évoluait, ce qui fait dire à certains spécialistes que le Colley actuel n'a plus rien à voir avec le Berger d'Écosse d'autrefois. En fait, si ce chien a eu à souffrir de sa nouvelle existence — c'est-à-dire d'être le compagnon indispensable de beaucoup de foyers, notamment urbains —, il semble que ce soit en raison de l'ignorance, voire de l'inconscience, de nombreux maîtres au sujet des besoins et du caractère profond de la race.

En effet, le Colley n'a rien du bibelot décoratif. Il n'est pas non plus ce chien à la douceur inaltérable que représentait sur le grand écran la célèbre Lassie : il faut savoir que certains sujets sont titulaires, au même titre que des Bergers Allemands ou Belges, du brevet de chien de défense. Bien des propriétés sont gardées par des Bergers d'Écosse, qui savent se montrer intraitables avec les indésirables. Cette adaptation de sa fonc-

tion traditionnelle de gardien permet en outre au Colley de se rendre utile et contribue indiscutablement à son bon équilibre.

On affirme parfois que les Colleys sont peureux. Or, un chien de berger, par définition, ne peut l'être ! Si certains Bergers d'Écosse manifestent un tel comportement, il ne faut pas en conclure que c'est là une caractéristique de la race. Un Colley craintif est un chien qui ne correspond pas au standard, et ce handicap peut provenir de l'élevage aussi bien que du maître du chien, justifiant ainsi l'adage « tel maître, tel chien »...

Pour avoir un chien équilibré, il faut donc se souvenir que le Colley est, à l'origine, un chien rustique, nullement fragile et qui ne demande qu'à être aguerri. On le choisit en effet trop souvent pour la beauté de sa robe (notamment les sujets bleu merle, plus rares), et on oublie qu'il a besoin, pour « être bien dans sa peau », de courir, de connaître les hivers rigoureux, de libérer la fantastique énergie qu'il cache sous une fourrure d'animal précieux.

Bien sûr, l'éducation du Colley doit prendre en compte sa sensibilité particulière : le Berger d'Écosse supporte très mal l'autorité forcenée — l'autorita-

Page de droite : si l'allure pleine de noblesse est innée chez les Collies, il ne faut pas en déduire que leur toilettage se révèle inutile. Au contraire, la fourrure doit être entretenue de façon régulière, c'est-à-dire deux, voire trois fois par semaine.

STANDARD DU COLLEY À POIL COURT (COLLIE SMOOTH)

Ce standard est identique à celui du Colley à Poil Long, excepté pour les points ci-après.

ASPECT GÉNÉRAL

L'impression que donne le Collie à Poil Court est celle d'un chien doué d'intelligence, de vivacité et d'activité. Attitude pleine de dignité qui est due à sa conformation anatomique parfaite, aucune partie n'étant disproportionnée.

TÊTE ET CRÂNE

Oreilles : de grandeur moyenne, plus larges à la base et placées de façon à ne pas être trop rapprochées ni trop sur les côtés de la tête. Au repos, elles sont portées en arrière mais, quand le chien est attentif, elles sont ramenées vers l'avant et portées semi-dressées, c'est-à-dire que l'oreille est dressée approximativement dans ses deux premiers tiers tandis que le tiers supérieur retombe naturellement vers l'avant, en dessous de l'horizontale.

AVANT-MAIN

Les épaules sont obliques et bien angulées. Les membres antérieurs sont droits et musclés. Ils ne sont ni rentrés ni sortis au niveau des coudes et présentent une ossature moyenne. Les muscles de l'avant-bras ont une certaine épaisseur. Les métacarpes se montrent flexibles, sans faiblesse.

POIL

Court, plat ; le poil de couverture est dur de texture ; le sous-poil est très dense. Le poil n'est pas toiletté (ni aux ciseaux ni à la tondeuse).

LE COLLEY À POIL COURT

De par son élégance naturelle et ses aptitudes multiples, le Colley à Poil Long (Collie Rough) a quasiment monopolisé l'attention des cynologues du monde entier. Or, à côté de cette race d'exception, il a toujours existé un Colley à Poil Court (Collie Smooth), également chien de berger et qui ne diffère de son congénère que par sa robe. L'histoire des deux variétés de Collies est intimement liée, même si, selon certains auteurs, chaque variété tenait un rôle bien déterminé sur les terres britanniques : au Rough revenait la tâche de garder le bétail dans les pâturages, au Smooth celle de le conduire jusqu'aux marchés...

Il est donc probable, tout au moins au début du siècle dernier, que poils courts et poils longs formaient deux races distinctes : même s'il n'était pas rare, à cette époque, qu'ils concourent les uns contre les autres dans les mêmes classes, le poil long travaillait presque exclusivement dans son pays d'origine, l'Écosse, alors que le poil court était, lui, davantage présent dans les régions nord de l'Angleterre... Ces différenciations, aussi minimes fussent-elles, incitèrent certains amateurs du poil court à le faire concourir en classe séparée.

Pourtant, à la lecture des catalogues des premières expositions destinées aux Collies, vers 1885, il apparaît qu'un nombre non négligeable de poils courts et de poils longs avaient les mêmes géniteurs...

Qu'en est-il de l'avenir du Colley à Poil Court ? S'il a souffert depuis toujours de la concurrence de son cousin à la robe si abondante, ce chien devrait très bientôt, grâce aux efforts soutenus des amateurs de la race qui se sont efforcés d'améliorer son caractère, trouver de plus en plus d'adeptes, notamment parmi les cynophiles qui souhaitent avoir un chien ne rechignant pas à la tâche et à la fois obéissant. Mais force est de reconnaître qu'aujourd'hui le Colley à Poil Court est encore l'objet, outre-Manche, de soixante-dix fois moins de demandes que son congénère à poil long ; toutefois, un standard séparé a été rédigé récemment pour ce chien.

L'ENTRETIEN DU COLLEY

La fourrure du Colley, constituée d'un sous-poil chaud et laineux, recouvert d'une seconde robe de poils longs et plus durs, le protège efficacement contre les vents froids, la pluie ou la neige (les Anglais l'appelaient autrefois le *Highland dress*).

Il faut entretenir le poil du Colley dès son plus jeune âge en le brossant deux ou trois fois par semaine, de sorte qu'il s'habitue à ce type de séance. Il est conseillé d'utiliser une brosse en poil de sanglier — ou avec des picots de fer montés sur pneumatique — et de brosser à contresens du poil en surveillant particulièrement les aisselles, les cuisses et le derrière des oreilles (dans ces régions, le poil a en effet tendance à s'emmêler très facilement).

La robe du jeune Colley change avec l'âge : le poil du chiot devient rêche peu à peu ; un brossage un peu plus fréquent suffit alors à éliminer le poil mort, qui empêcherait la peau de respirer.

Par la suite, on peut également utiliser des poudres d'entretien. Cette solution est infiniment préférable à un bain qui, même peu fréquent, risque de détruire le sous-poil (qui ne repousserait pas avant au moins un an).

D. et S. Simon

D. et S. Simon

G. Lacz

LE COLLEY EN CHIFFRES

Hors de Grande-Bretagne, le Colley est très répandu aux États-Unis et en Australie, et connaît également un succès certain dans des pays européens, particulièrement en France : 983 naissances de Colleys ont ainsi été enregistrées en France en 1969 et 4 848 en 1984, soit une augmentation de 400 %. Une légère régression est cependant à noter (4 716 inscriptions au LOF en 1985, 4 347 en 1986). En effet, si les demandes de Bergers Allemands et de Briards ont toujours été plus fortes que celles concernant le Colley, celui-ci souffre depuis peu d'une demande croissante de Bergers des Pyrénées et de Bergers Belges. Trois raisons essentielles expliquent, sans doute, cette évolution : très à la mode, les races à fourrure abondante peuvent cependant faire hésiter ceux qui craignent un entretien trop exigeant; de plus, les acquéreurs actuels de chiens cherchent souvent un animal qui soit également un bon gardien (compte tenu d'une montée de l'insécurité dans les zones urbaines et péri-urbaines); or, le Colley garde — à tort — l'image d'un chien qui ne peut être que doux et affectueux; enfin, forte de son succès antérieur, la race fait sans doute l'objet d'une promotion plus limitée, tout en subissant la concurrence d'autres races récemment apparues sur le marché.

Sur ces deux pages : le plus souvent compagnon de familles situées en en milieu citadin, le Collie peut souffrir d'un environnement qui ne lui est pas naturel. Ce chien, rustique à l'origine, n'est véritablement bien que s'il court, garde, se dépense à l'extérieur.

risme — et encore moins la violence. On peut tout obtenir de lui, mais uniquement en utilisant douceur, patience, compréhension. D'autant qu'il adore accomplir des missions afin de faire plaisir à son maître; on peut d'ailleurs lui confier une tâche sans aucune crainte : il l'accomplira scrupuleusement. Il faut savoir traiter le Berger d'Écosse en compagnon responsable, digne de recevoir des explications : il a besoin de comprendre les raisons d'un ordre ou d'une attitude pour se comporter comme son maître le souhaite. Il lui faut, de ce fait, se sentir en confiance au sein de la famille qui l'accueille. Dans le cas contraire, il risque fort de

D. et S. Simon

C'est d'abord dans les jeux que les Bergers Écossais trouvent la plus parfaite communion avec la famille qui les a accueillis.

n'en faire qu'à sa tête. Au risque de se faire traiter, assez injustement, de cabochard…

Cette image d'un Colley sportif, gardien, toujours prêt à rendre service peut surprendre ceux qui ne connaissent de ce chien que l'image de l'animal de salon, nonchalamment couché sur le tapis. Image qui, lorsqu'elle correspond à une réalité, doit être revue et corrigée. Car, s'il est vrai qu'au fil des ans le Colley s'est adapté à la vie en appartement, ce n'est pas une raison suffisante pour le confiner dans une inactivité nuisible à son caractère. Ce n'est pas parce que le Berger d'Écosse est beau qu'il est fragile : l'enfermer dans un cadre de vie trop douillet, trop protégé, ne peut que menacer gravement son équilibre. Il appartient aux races du premier groupe (les chiens de berger) et doit être traité comme tel. Il n'y a guère de points communs entre un Colley et un Bichon, par exemple. Et ce serait rendre un bien mauvais service au Berger d'Écosse que de ne pas faire la différence.

LES COUSINS

La famille des Collies comprend, outre les races de Bergers d'Écosse, Colley à Poil Long (Collie Rough) et Colley à Poil Court (Collie Smooth), qui ne se distinguent que par la longueur du poil, trois autres races : le Berger des Shetland (ou Shetland Sheepdog), le Border-Collie et le Bearded Collie. De création assez récente, le Shetland (appelé familièrement Sheltie) ressemble beaucoup, mais en plus petit, au Berger d'Écosse. Les mâles mesurent en moyenne 37 cm et les femelles 35 cm. Né, comme son nom l'indique, dans les îles Shetland, ce chien est issu du croisement entre le Collie et des chiens nordiques débarqués de bateaux scandinaves (des Spitz, notamment). Très répandu dans les pays anglo-saxons et dans toute l'Europe du Nord, le Shetland est apprécié des gens qui recherchent un chien de berger de taille réduite. Les couleurs autorisées pour cette race sont les mêmes que pour le Berger d'Écosse.
Le Border-Collie, ou « Collie de ferme », ancêtre du Colley devenu aujourd'hui chien de compagnie, est resté, lui, un chien de berger apprécié pour sa compétence comme gardien de troupeau. C'est en effet, parmi les races de bergers, un des plus efficaces conducteurs de moutons qui soit. Le Border-Collie mesure environ 53 cm et peut être de différentes couleurs, mais il est fréquemment noir et blanc. D'allure plus commune que le Colley, il a un poil de longueur modérée, et son aspect général, qui est celui d'un chien harmonieusement construit, donne l'impression qu'il peut supporter de longues heures de travail sans fatigue. La race, destinée à ceux qui travaillent encore réellement avec un chien de berger pour la garde de troupeaux, s'est répandue à partir du moment où d'autres races (dont le Berger d'Écosse) furent détournées des pâturages pour rejoindre les villes, où une certaine mode les appelait.
Le Bearded Collie (Colley barbu), appelé familièrement Beardie par les Anglais, a un air de famille avec notre Berger de Brie. Issu peut-être de croisements entre des chiens d'Europe centrale et des races écossaises, il est doté d'une superbe fourrure, qui peut être de diverses couleurs.
Le Bearded est un chien particulièrement doux, qui se plaît beaucoup en compagnie des enfants, dont il est toujours prêt à partager les jeux. C'est un animal très souple, très vif, doté d'une intelligence au-dessus de la moyenne. La hauteur idéale est de 53 à 56 cm pour les mâles et de 51 à 53 cm pour les femelles.

Dépôt légal : 3e trimestre 1991
Imprimé et relié au Portugal par RESOPAL/EUXOS Paris